D1454687

Cet ouvrage est publié à l'occasion de l'exposition *Philippe Droguet Blow Up*,
présentée au Musée d'art contemporain de Lyon,
du 25 mai au 21 juillet 2013.
This book accompanies the exhibition Philippe Droguet Blow Up,
presented at the Lyon Museum of Contemporary Art
from 25 May to 21 July 2013.

En couverture / *Cover* :
Marine (détail / *detail*), 2003-2005
Crâne de renard sur branche, cure-dents, plâtre /
Fox skull on branch, toothpicks, plaster
170 x 70 x 140 cm [avec socle / with plinth]

En frontispice / *Frontispiece* :
Fléaux (détail / *detail*), 2001-2011
Coquilles d'escargots, semences de tapissier, silicone /
Snails shells, upholsterer tacks, silicone
24 x 100 x 70 cm environ / *approx.*

© LIENART éditions, Montreuil-sous-Bois, 2013
2, rue Marcelin-Berthelot – 93100 Montreuil-sous-Bois
www.lienarteditions.com

© Musée d'art contemporain, Ville de Lyon, 2013

ISBN : 978-2-35906-102-4
Imprimé en France (Union européenne)
Printed in France (European Union)
Dépôt légal : septembre 2013
Copyright deposit: September 2013

PHILIPPE DROGUET
BLOW UP

LIEN**ART**

musée
d'art contemporain
de Lyon

SOMMAIRE

Sirènes (détail / detail), 2001
Coquillages, silicone, semences de tapissier, plâtre, fibres /
Shells, silicone, upholsterer tacks, plaster, fibres,
dimensions variables / variable dimensions

Tout l'œuvre de Philippe Droguet lutte contre le Tragique.

L'Homme, ce mortel anonyme au visage de tous les visages, au visage aussi vite reconnu qu'oublié, ce corps qui est presque rien et pour

All of Philippe Droguet's oeuvre is a battle against the Tragic.

That unknown mortal, Man, with the face of all faces, a face no sooner recognised than it's forgotten, and a body that's almost nothing, and only

TRAGIQUE / TRAGIC

pas longtemps, il le pétrit Philippe Droguet cet Homme… pour en faire un Reste.

En effet, c'est la règle du jeu, l'homme, ce mortel, pourrit, dégénère, bientôt bouffé par les vers. Il n'en reste rien. Certains le brûlent à sa mort, alors il s'échappe en fumée, puis ses cendres sont dispersées ou conservées en bocaux, mais il ne reste toujours rien.

Alors on croit !

Les milliers de victimes des camps, les hordes, les vies minuscules, tous ces êtres vivants un temps, ne seront jamais que des milliers de mémoires oubliées.

Au futur, consignés dans de vagues registres notariés, ou sur la Toile, on en fera rétrospectivement des arbres généalogiques, des traits verticaux et horizontaux, raccrochés à des noms devenus étrangers. Tout l'œuvre de Philippe Droguet lutte contre ce destin. À perte. Mais tout cela affleure.

Au fusil.

De tous ces êtres, on ne sait rien. De l'Être non plus. La seule chose que l'on sache, c'est qu'il y a comme une enveloppe palpable, avant qu'elle ne disparaisse ; c'est un visage, un corps. Indistinct. Derrière la peau, il n'y a rien ou si peu. La vie ? Ouais, mais bon… ça s'estompe !

Il y a longtemps, dans les années quatre-vingt-dix du siècle dernier, on a vu Philippe Droguet tendre des vessies de bœuf sur des petits carrés minutieusement dressés, tout cela propre et minimal, pour les souiller d'un cercle d'hémoglobine bovine. Propre : Cercle et Carré corrigé à l'image des tortures de toujours et de partout.

La surface, comme la peau, s'oppose à la théâtralité. Michael Fried et Clement Greenberg en ont fait toute une histoire. Courte. On l'a nommée un temps : modernité.

Que faire entre l'objet qui est là et le tragique du monde qui est là aussi ? Quelle continuité y a-t-il ?

Philippe Droguet travaille inlassablement le matériau, la vessie, la vis, la paraffine, autant de

fleetingly—Droguet moulds him, this Man… in order to make a Residue.

In effect, it's a rule of the game—man, this mortal being, rots, degenerates, soon to be eaten by worms. Nothing remains. Some burn him upon death, and he goes up in smoke; then his ashes are scattered, or kept in a jar; in any case there's nothing left.

So we believe!

Thousands of victims of the camps, hordes, minuscule lives, all these beings, living for a time, will never be anything other than myriads of forgotten memories.

In the future, consigned to vague archives, or to the Web, they'll be retrospectively turned into genealogies—mere series of horizontal and vertical lines attached to names that have become unfamiliar. All of Droguet's oeuvre is a battle against this fate. A losing battle. And all of that comes through.

To arms.

About these beings, nothing is known. About Dasein, neither. The only thing that can be known is that there's something like a palpable integument, before it disappears. A face, a body. Indistinct. Under the skin, there's nothing, or so little. Life? Yes but, well… it fades!

Long ago, in the last decade of the last century, Philippe Droguet stretched cows' bladders over small squares, carefully arranged, neat and minimal, and stained them with circles of bovine haemoglobin. Neat: Cercle et Carré ("Circle and square"), corrected for the tortures of all times and places.

Surface, like skin, is the opposite of theatricality. Michael Fried and Clement Greenberg made a big (hi)story out of it. Short. It was named for a time: modernity.

What is to be done, between the object that's there and the tragic nature of the world that's there too? Where's the continuity?

Droguet works tirelessly on material—bladder, screwnail, paraffin wax—skins whose folds he

Sans titre, 1989 et / and *Sans titre*, 1989
Vessies de bœuf tendues sur châssis, sang / Cow bladders stretched on canvas, blood, 230 × 230 × 2,3 cm chaque / each

peaux dont il modèle les drapés, découvre le poids visuel et dessine la gravité.

Comment concilier la forme ici et le monde là-bas ? Joindre les deux bouts d'une présence et d'un oubli ? Quelle est la présence, quel est l'oubli ? Coquille ou baignoire, érotisme ou tabernacle, petits objets gentils tissés, façonnés, hérissés, concilient l'attraction et la répulsion.

Mais rien de hideux, rien de dramatique, car c'est la vie qui est dramatique, rien de hideux, que du joli ! Car c'est moins le Beau (qui n'existe pas), que le joli, que recherche Droguet. À moins que ces deux termes ne soient synonymes.

Ce joli visage avec un bouton de fièvre dessus, pas une cicatrice purulente, non, juste un accroc dans le bonheur des choses, juste un truc qu'on sait mais qu'on se cache pour ne pas l'affronter. Ce truc n'est rien, c'est juste un indice, un symptôme, mais il est bien au centre de ce qui gouverne notre vie, c'est un bouton, un petit drame, prégnant et visible, ou une fin annoncée pour ceux qui voudraient la voir. Pas de cicatrice violacée, pas de catastrophe, pas de marque de coups, pas de vacarme mais juste derrière la peau : rien ! La disparition.

Tout l'œuvre de Philippe Droguet lutte avec et contre l'innocence du monde. Le cynisme pour lui n'existe pas ; en ce sens Philippe Droguet n'est pas contemporain, c'est pourquoi il est pour un temps, pour un temps seulement, mais pour un temps au moins, d'aujourd'hui.

« Accroître le bonheur d'une vie d'homme, c'est étendre le tragique de son témoignage. L'œuvre d'art (si elle est un témoignage) vraiment tragique doit être celle de l'homme heureux. Parce que cette œuvre d'art sera tout entière souf-flée par la mort[1]. »

models, unveiling their visual weight, drawing their gravity.

How is form, here, to be fused with the world, there? How are the two ends of a presence and an oblivion to be joined up? What's the presence, what's the oblivion? Shell or bath, eroticism or tabernacle; cute little objects, woven, fashioned, bristling; they reconcile attraction and repulsion.

But nothing hideous, nothing dramatic, because it's life that's dramatic; nothing hideous only pret-tiness! And because it's not so much the Beautiful (which doesn't exist) as the pretty that Droguet seeks. Unless the two are synonymous.

The pretty face with the pimple—not a purulent scar, no, just a defect in the wellbeing of things; just something you know, though you hide it from yourself so as not to confront it. Because it's nothing; just a clue, a symptom; but it's at the centre of what governs our life. It's a spot, a little drama, vivid and visible, or a proclaimed end for those who care to see it. No purplish scar, no catastrophe, no marks of blows, no clamour. Only, under the skin: nothing! Disappearance.

All of Philippe Droguet's oeuvre is a battle with and against the world's innocence. Cyni-cism, for him, doesn't exist. In this sense, he's not contemporary; which is why, for a time, and only for a time, but for a time at least, he's of today.

"To increase the wellbeing of a man's life is to extend the tragic nature of his testimony. The really tragic work of art (if it is a testimony) must be that of a happy man. Because the work of art will be entirely blown away by death."[1]

1. Albert Camus, *Carnets*, I, mai 1935-février 1942, Paris, Gallimard, 1962, p. 120.

1. Albert Camus, *Carnets*, I, May 1935-February 1942, Paris, Gallimard, 1962, p. 120 (this translation by John Doherty).

Tombés, 2003-2005
Tissus, paraffine, palette / Fabric, paraffin, pallet,
78 × 120 × 14 cm et / and 13 × 47 × 63 cm

Vue de l'expositon / Exhibition view, *Philippe Droguet Blow Up* au / at mac^{LYON}
De gauche à droite / From left to right : *Battes*, 2012 ; *Couvre-Feu*, 2013 ; *Entretien*, 2000-2001

Pain, 2010
Plomb / Lead,
50 × 50 × 5 cm

...choir, 2008
... de vigne, piques à brochettes /
... e stock, skewers, 52 × 35 × 60 cm

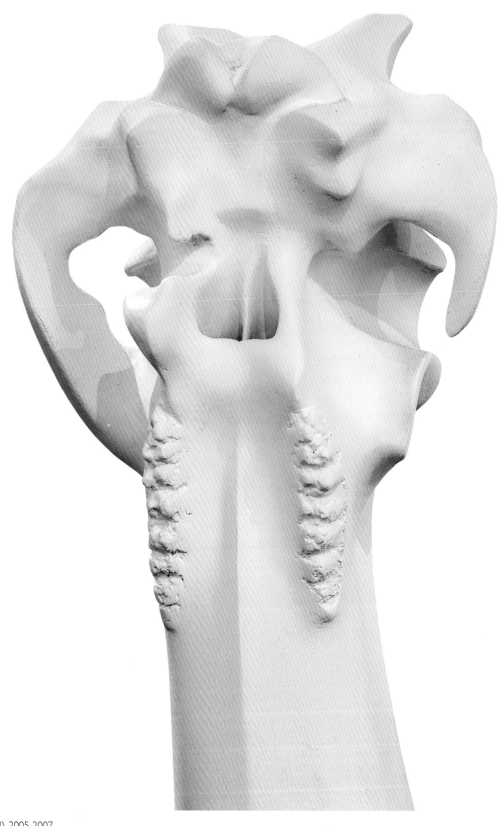

Y-z-s-o-k-a-r (détail / detail), 2005-2007
Crâne de bovin surmodelé, branche, plâtre, gesso /
Overmodeled bovine's skull, branch, plaster, gesso,
180 × 80 × 85 cm

Janus est le dieu des seuils. Ils s'ouvrent ici sur un vertige.

Rien n'est simple : chaque œuvre de Philippe Droguet procède/se joue en deux temps, contraires[1]. L'artiste propose à la fois cette tension dynamique

Janus is the god of thresholds; which in this instance open onto vertigo.

Nothing is simple. Each of Philippe Droguet's works goes forward (or is played out) in two contrary phases[1]. He puts forward both this

JANUS / JANUS

ANNE BERTRAND

et son dépassement (plutôt que sa résolution). D'où le choix du titre de l'exposition du mac[LYON], au printemps 2013 : *Blow Up*, en hommage évident au film d'Antonioni. Dans chaque image se cache une autre image, à découvrir.

En puissance

Or le parcours de l'artiste est d'un seul tenant. Sa détermination frappe, dès le commencement. Philippe Droguet ne saurait être autre chose qu'artiste.

Cette première exposition d'importance dans un musée réunit des pièces créées ces dernières années (depuis 2000 jusqu'en 2013), qui conservent en partie la mémoire du travail entamé à la fin des années quatre-vingt[2], voire avant, lorsqu'il fait le choix de s'inscrire aux Beaux-Arts de Mâcon[3].

Ainsi, *Entretien* (2000-2001) résume tout un pan de son œuvre antérieur, caractérisé par l'emploi en sculpture d'un matériau singulier. « *Entretien* est constitué de divers éléments disparates reliés entre eux par une sorte de cordon ombilical dans lequel circule un flux électrique. Ce courant alimente une lampe de bureau dirigée sur une chaise lui faisant face. L'ensemble est recouvert d'une matière organique, la vessie de bœuf, récupérée aux abattoirs [...]. La vessie [...] enveloppe [le dispositif] d'une peau, ce qui lui confère une dimension anthropomorphique renforcée par l'articulation en réseau des différents organes qui le composent[4]. » L'œuvre appartient au mac[LYON] depuis 2004. Sa fiche technique précise que la lessiveuse faisant office de poubelle, auprès du bureau, est remplie de bitume qui, « au contact de [la chaleur dégagée par] l'ampoule [...], fond et dégage une odeur entêtante ».

D'emblée, certains éléments fondamentaux sont posés, qui vaudront désormais pour la plupart des pièces. Lorsqu'elles se fondent sur l'usage d'objets familiers, ceux-ci seront transformés, altérés, pour produire un effet de l'ordre de ce que l'on nomme en anglais *uncanny*, *Unheimlich* en

dynamic tension itself and its overcoming (not its "resolution"). Hence the choice of title for the exhibition at mac[LYON] in the spring of 2013, *Blow Up*, an evident homage to Antonioni's film. In each image another is hidden; to be discovered.

In power

But Droguet's career is all of a piece. Right from the start, his determination was striking. He could not have been anything other than an artist.

This is his first major museum exhibition, featuring works created between 2000 and 2013, which partly conserve the memory of others, begun at the end of the 1980s[2], or indeed before that, when he was studying at the fine arts school in Mâcon[3].

Entretien ("Interview"), 2000-2001, sums up an entire segment of Droguet's previous work, characterised by the use, in sculpture, of a specific material. "*Entretien* is made up of diverse elements linked by a sort of umbilical cord through which an electrical flux circulates. This current flows into a desk lamp that is pointed at a chair. The whole thing's covered in an organic substance, namely cows' bladders obtained from abattoirs [...] The bladders [...] wrap [the whole] in a skin that gives it an anthropomorphic dimension, reinforced by the articulation, in a network, of the different organs."[4] The work was acquired by mac[LYON] in 2004. Its technical details include the fact that the boiler beside the desk, which serves as a wastebasket, is filled with bitumen which "on contact with [the heat emitted by] the light bulb [...] melts and gives out a heady odour."

To begin with, there are some fundamental elements that in turn apply to most of the other pieces. When based on familiar objects, they are transformed and altered to produce an effect of the order of the "uncanny", or, in German, "Unheimlich" (whereas in French two words, "inquiétante étrangeté", are necessary). This denotes, almost inescapably, the surrealist imagination, as Droguet

1. « Une bonne partie de mes œuvres fonctionne sur ce mode paradoxal, jouant précisément des ambivalences ou des antagonismes entre des aspects contradictoires. La forme proposée est élaborée sur le modèle d'une chose plutôt familière, masquée par des effets de matières – douces, soyeuses, irisées, étincelantes – que l'on aimerait approcher, même toucher. La première lecture est faussée par l'aspect trompeur de la surface. Il faut regarder de plus près et à deux fois pour comprendre la véritable nature de l'objet. Il y a un décalage entre l'image annoncée et la réalité de ses constituantes. Un leurre pour la vue, qu'il suffit d'interroger pour en comprendre toutes les articulations. » Entretien par mail de l'artiste avec l'auteur, du 12 mai au 16 juin 2013.

2. Voir *Philippe Droguet. Matière à doute*, catalogue de l'exposition du Centre d'art contemporain de Lacoux, textes d'Anne Bertrand et Philippe Grand, Lyon, Fage Éditions, coll. « Varia », 2006.

3. « 1984 fut un moment très important pour moi puisqu'il marquait la fin de mon adolescence et le début d'un engagement sur la voie que j'avais choisie. Cette décision était d'abord et avant tout motivée par le fait de vouloir quitter un environnement bien trop circonscrit, qui laissait entrevoir peu d'ouvertures sur le monde, mais aussi de rompre avec un schéma de vie, pour mener celle que j'avais décidé de vivre. Sans connaître véritablement ce qu'était le monde de l'art, je me sentais irrésistiblement attiré par le peu que j'en connaissais alors. Le premier artiste que je rencontrai grâce à l'École [des beaux-arts de Mâcon] fut Daniel Buren. [...] Luciano Fabro et Richard Deacon furent parmi les suivants [...]. Du côté de la théorie, je me souviens avoir été très impressionné par une conférence sur l'Arte povera donnée par Germano Celant, répondant à l'invitation de Jean-Louis Maubant au Nouveau musée de Villeurbanne [...]. Dès 1989, j'ai eu l'opportunité de participer au montage de l'exposition *La Couleur seule, l'expérience du monochrome* au Musée d'art contemporain de Lyon. Non seulement j'y rencontre Thierry Raspail et Thierry Prat, assiste à une intervention de Maurice Besset [commissaire de cette exposition], mais je découvre de très près des œuvres majeures du XXe siècle. Je suis définitivement conquis et sais à ce moment-là que je serai, sans aucun doute, artiste. » *Ibid.*

4. Entretien de l'artiste avec Hervé Percebois, mars 2013.

1. Translated notes: page 28.

allemand, le français ayant curieusement besoin de deux mots pour qualifier l'« inquiétante étrangeté ». Celle-ci renvoie presque forcément à l'imaginaire surréaliste, référence que reconnaît l'artiste, la précisant lorsqu'il cite, proche de la revue *Documents*, le photographe Eli Lotar, pour sa série des *Abattoirs* (1929). Intervient aussi l'esprit du ready-made inventé par Duchamp, ce qu'il assume évidemment. L'art de Philippe Droguet dès l'origine est réfléchi, cultivé – même s'il peut aussi se voir, se lire sans un recours obligé à une histoire de l'art moderne et contemporain qui le nourrit, qu'il prolonge[5].

Entretien montre comment il aborde les notions de sculpture et d'installation, traite l'objet, le matériau, enfin suggère, sans l'imposer, un sens parmi ceux qui pourront apparaître aux yeux/dans l'esprit des spectateurs. Un entretien suppose au moins deux interlocuteurs, il est clair ici qu'un rapport de forces régit leur relation, l'un, soumis au pouvoir de l'autre, doit répondre à ses questions. Il s'agit des conditions de l'exercice d'un pouvoir, du décor et des moyens d'une pression, violence. L'idée de torture affleure. L'enjeu de la pièce est dans sa charge. Tous nous savons ce que sont un bureau, une lampe, une chaise… Tous nous pouvons imaginer l'abattage en série des bêtes, leur dépeçage, le sang, les restes, la puanteur. Tous nous avons en tête l'image plus ou moins vague, associée à une histoire récente, à des faits actuels, d'interrogatoires à l'issue dramatique. *Entretien* doit sa force autant à son efficacité formelle qu'à sa puissance d'évocation.

Le même principe est à l'œuvre dans *Cadeau* (2000-2001) – baignoire pour fakir ? Qui sait comment l'artiste en est venu, partant de cet objet trouvé qu'était une baignoire en fonte Belle Époque aux flancs peints vert pâle, ornés de roseaux, à recouvrir (à nouveau) l'intérieur de clous appelés « semences de tapissier ». Après l'intuition, l'impulsion, vient le temps de réalisation, pas infini mais presque, des mois à coller une à une chaque pointe à côté des précédentes, pour que pousse sur cette forme à peine animale (ses pattes de lion) un pelage d'un noir brillant, fourni, qui fascine et met le spectateur au défi de toucher, caresser ce qui ne peut, acéré, que blesser. *Cadeau*, tout d'attraction/répulsion, eût ravi Meret Oppenheim. Il rappelle, autres temps, autres lieux, *Under the Skin* (1994) de Tony Cragg, œuvre héritière elle aussi de fétiches du Congo, au XIXe siècle.

himself recognises, and in particular when he cites the *Abattoir* series, 1929, by the photographer Eli Lotar, who contributed to the review *Documents*. And there is also the spirit of the Duchamp ready-made, which he naturally takes on board. His art, from the outset, is reflective, cultivated—even when it can also be seen and read without any necessary awareness of the modern and contemporary art which enriches it, and which it extends[5].

Entretien shows how Droguet takes on the notions of sculpture and installation, how he treats the object, the material, and finally suggests, though without attempting to impose it, a signification among those that may appear to the viewer's eye (or mind). An interview presupposes at least two participants, and it is clear that in this case there is a power relationship between them. One of them replies to the questions, subject to the authority of the other. These are the conditions for the exercise of power, the backdrop and means of pressure, violence. The idea of torture comes through. What is operative in the work is its charge. We all know what a desk, a lamp, a chair are… We can all imagine the serial slaughter of animals; the butchering; the blood; the remnants; the smell. We all have a more or less vague image in our heads, associated with recent history or actual facts, of interrogations with tragic outcomes. *Entretien* owes its power as much to its formal efficacy as to the forcefulness of its evocation.

And the same principle is at work in *Cadeau* ("Gift"), 2000-2001—a bathtub for a fakir? Who knows how, starting with an objet trouvé —a cast-iron Belle Époque bath adorned with reeds on a pale-green painted background—the artist (once again) arrived at a covering: that of an interior, with tacks. After the intuition, and the impulse, comes the time of the execution—not infinite, but almost, with months spent gluing each tack beside all the others, so that this barely animal form (with its lion's paws) grows a dense, sleek black coat that fascinates the viewers and challenges them to touch, to stroke that which, being sharp, cannot but wound. *Cadeau* is all about attraction-repulsion; Meret Oppenheim would have loved it. It recalls other times, other places: Tony Cragg's *Under the Skin*, 1994, is also heir to the Congolese fetishes of the 19th century.

5. « Ma culture visuelle m'a permis au fil des années de dresser la cartographie d'un paysage qui constitue l'arrière-plan de mon travail. Cet arrière-plan fonctionne comme une matière en tant que telle. Je parlais […] des associations d'idées possibles autour d'un matériau, et aussi de la façon dont ces associations sont contenues ensuite par la forme issue d'un processus. Je peux dire en quelque sorte la même chose concernant une "histoire de l'art proche", à savoir celle peinte en toile de fond par Duchamp, Bataille, Painlevé, Lotar, Dali… sur laquelle vient se superposer, dans une sorte de fondu enchaîné, une deuxième [histoire] qui pourrait cette fois comprendre des artistes plus contemporains, tels que Beuys, Louise Bourgeois, Cragg…, puis une troisième… […] Je suis resté bouche bée devant certaines installations de Beuys sans en comprendre véritablement le sens, touché par la puissance de l'œuvre et interrogé par la singularité des dispositifs et des matériaux. Les œuvres de Louise Bourgeois m'ont intéressé pour leur forte charge érotique et par le rapport que la forme entretient avec le contenu, mais gêné toutefois par leur dimension autobiographique parfois trop prégnante. Aussi par la parenté de certaines avec le travail de Brancusi, pour lequel j'ai un intérêt particulier, [étant donné] sa quête acharnée pour extraire, à travers des matériaux d'une grande sensualité, l'essence des choses – ce qu'on retrouve dans certaines œuvres de Penone, notamment la série des *Arbres*. » Entretien par mail avec l'artiste, voir note 1.

Une dimension nouvelle apparaît avec la série des *Tombés* (2003-2005). Le sens du toucher y est sollicité autant que celui de la vue, le principal tenant pourtant à l'image créée pour le spectateur, à la perception qu'il peut en avoir. Ces drapés blancs, lisses, savants, évoquent autant le tissu que le marbre, l'art que la nature. L'un posé sur une palette à la verticale, l'autre débordant d'une bassine au fond rouillé, ils font un hommage à la sculpture baroque du Bernin comme à tant de dessins, toute une tradition classique, Ingres… Ce legs subverti par l'effet de trompe-l'œil, le trouble né d'une texture opaque et translucide à la fois, qui intrigue et ne se laisse pas reconnaître. « La paraffine [explique l'artiste] passe à l'état liquide avant de se figer. Elle peut être moulée ou appliquée sur un support en fines couches, comme le plâtre[6]. » Il dit aussi : « [Elle] fossilise la vie dans les plis […][7]. » Les *Tombés* valent également pour ce qu'ils introduisent l'idée, féconde, de variation.

Dès ses débuts, l'artiste instaurait un mode de travail patient, une discipline, une persévérance. Cette ascèse le soutient ; elle fait partie de son identité.

En souffrance

Dans l'atelier le travail se développe, évolue. L'endroit est essentiel à l'artiste, qui y mène recherches, expérimentations, production[8], en parle comme d'un « laboratoire », un « chantier ».

S'y pose la question du rapport entre l'ordre et l'invention, à laquelle il répond : « Le contexte dans lequel j'ai évolué dans ma toute première jeunesse n'était pas étranger à une certaine conception de l'ordre, de la rigueur ou encore du contrôle. Je viens d'un univers formaté, militarisé, celui dans lequel travaillait mon père. Ce vivier dans lequel j'ai mariné jusqu'à mon adolescence aurait pu être fatal pour mon épanouissement personnel si l'éducation parentale ne s'était pas juxtaposée à ce quadrillage savamment délimité. Mes jeunes parents […] se comportaient bien souvent de façon décalée, surprenante, et provocante à bien des égards ; souvent dans un total esprit d'inconscience. Je pense que mon travail s'est développé sur ce type de schéma. D'un côté, l'ordre et la rigueur comme canevas, de l'autre des jeux de perturbations aptes à créer des surprises ou encore des décalages. La séduction apparente des objets et des installations ne s'établit qu'à partir d'une palette

A further dimension appears in the *Tombés* (a reference to the way a garment "hangs") series, 2003-2005, with its appeal to the sense of touch as much as to that of sight. The most important thing is nonetheless the image created for the viewers, and the perception they may have of it. The smooth, white, sophisticated drapings are suggestive of textile as much as marble, art as much as nature. One has been placed on a pallet, vertically, while the other overhangs a basin whose inside is rusty. They are homages to Bernini's baroque sculpture, to many drawings, an entire classical tradition, Ingres… But this legacy is subverted by the trompe l'oeil effect, the uneasiness resulting from a texture that is both opaque and translucent, intriguing and yet impossible to make out. "Paraffin wax," as Droguet explains, "liquefies before solidifying. It can be moulded or applied to a surface in thin layers, like plaster."[6] Or again, "[It] fossilises life into folds."[7] The value of the *Tombés* series also lies in the fecund idea of variation that it introduces.

Throughout his career, Droguet has maintained a mode of patient work, discipline, perseverance. And this ascesis sustains him; it is part of his identity.

In suffering

In the studio the work develops, evolves. This place is essential to the artist. This is where he does his research, experimentation, production[8], speaking of it as a "laboratory" or a "construction site".

And here the question of the relationship between order and invention arises. As he says, "The context in which I found myself when I was young wasn't without a certain conception of order, rigour, or again, control. I come from the formalised, militarised universe in which my father worked.

This breeding ground, which I remained in up to my adolescence, could have been fatal to my personal development if my upbringing hadn't been juxtaposed with this deftly-applied restrictiveness. My parents were young […] quirky, surprising, provocative in many respects. They often acted quite heedlessly.

I think my work has developed according to this type of schema. On the one hand order and rigour, as a canvas, and on the other, shakeups that can create surprises, or lead in new directions. The apparent seductiveness of the objects and

6. *Ibid.*

7. *Ibid.*

8. « [Le matériau] a toujours été plus ou moins un déclencheur du travail à venir. […] En fonction d'une idée que je veux développer, j'opte pour un ou plusieurs matériaux. Ensuite ces mêmes matériaux me fournissent une palette d'informations que je combine avec des références littéraires ou historiques, philosophiques ou encore iconographiques ; palette qui me permettra ainsi d'élaborer une "pensée en images". » Entretien avec l'artiste, voir note 4.

Vue de l'expositon / Exhibition view, *Philippe Droguet Blow Up* au / at mac^{LYON}
Au premier plan / Foreground: *Battes*, 2012
Au second plan / Background: *Pain*, 2010

lisse et ordonnée, plutôt familière. Ce qui m'intéresse, en somme, c'est de créer des microfissures, des failles dans des dispositifs plutôt conventionnels, pour en interroger les fondements[9]. »

Regarder, voir, même, scruter les œuvres, ne saurait être inutile pour ce qu'elles expriment du vocabulaire de l'artiste, de sa syntaxe, de son langage. Importent bien sûr le choix des matériaux, le processus de réalisation des pièces et leur présentation dans l'espace, y compris pour les rapports entre elles… mais il est vite évident que le souci formel de Philippe Droguet va de pair avec sa préoccupation d'un contenu, du sens de ses créations. « Les titres ne sont jamais anodins. Ils fonctionnent en général comme un signe supplémentaire capable d'ouvrir ou d'infléchir le sens de l'œuvre […]. La relation du titre à la proposition plastique partage la même complémentarité que celle existant entre le matériau et la forme, sans toutefois en oblitérer l'autonomie. […] En fait, je ne peux concevoir une pièce sans penser à son contenu potentiel. La forme pour elle-même ne m'intéresse pas. Elle est envisagée plutôt comme véhicule d'une "pensée en acte". Mon rapport au langage est un rapport tendu. Je cherche à atteindre une certaine précision dans l'articulation des codes et des signes[10]. »

Marine (2003-2005) participe du même procédé d'hybridation qu'avant elle *Cadeau* : une branche morte, dans l'élan de sa courbe, dessine un animal courant. Hérissée de centaines de curedents, elle offre à l'œil un pelage épais, fauve. Au bout, un crâne de renard est greffé. La bête trotte et file au sol, un socle de métal la met à hauteur des yeux, nous confronte à la cruauté des orbites creuses, à l'aigu de l'os, dents serrées. Il y a peu, l'artiste l'a dotée d'un collier de métal doré qui lui donne un côté bling-bling. Se méfier de la séduction qu'elle peut exercer. L'évolution politique en France ces dernières années ne fait que confirmer la menace initialement décelée, le danger de la créature, qui va, inexorable.

Dans un autre registre, *Y-z-s-o-k-a-r* (2005-2007), chimère anagramme, se distingue d'abord par son élégance. Une autre branche en est l'âme, debout sur trois pieds grêles, se rejoignant en un tronc mince, enduite à mi-hauteur de plâtre et de gesso, qui se termine, mi-torse, mi-tête, par un crâne de bovin surmodelé. Bizarrement on songe à un animal sous-marin, espèce de poulpe jailli hors de l'eau, face à nous, apparemment fragile et néanmoins

installations can only be brought about by a smooth, ordered, familiar palette. But what interests me, in the end, is to create micro-fissures, fault lines in conventionality, as a way of probing their foundations."[9]

Looking, seeing, even scrutinising works would not be a bad idea in terms of what is thereby revealed about the artist's vocabulary, syntax and language. The choice of materials, the execution of the pieces and their spatial presentation are of course important, as are their mutual relationships… But it rapidly becomes clear that Droguet's formal concerns go hand in hand with the content and meaning of his work. "The titles are never insignificant. In general, they function as signs that further open up or inflect the meaning of the works […] The relationship of the title to the proposal has the same complementarity as the one between the material and the form, while not destroying the autonomy. […]

In fact I can't create a piece without thinking about its potential content. The form doesn't interest me as such; I see it more as a vehicle of a 'thought in action'. My relationship to language is tense. I try to achieve a certain precision in the articulation of codes and signs."[10]

Marine, 2003-2005, uses the same hybridisation procedure as *Cadeau*: the sweeping curve of a dead branch figures a running animal. Bristling with hundreds of toothpicks, it presents a thick, tawny coat, with a fox's head grafted onto one end. The animal trots along the ground: placed at eye level on a metal base, it confronts us with the cruelty of hollow eye sockets, pointed bones, clenched teeth. And the artist recently added a gilded metal chain that gives it a showy, ostentatious aspect. But beware of its seductiveness. Recent political developments in France only confirm the menace he had already identified; the danger of the creature, advancing inexorably.

In another register, the anagrammatic chimera *Y-z-s-o-k-a-r*, 2005-2007, is distinguished in the first place by its elegance. Again there is a branch, forming an armature of three spindly legs that join up in a thin trunk, half-torso, half-head, culminating in an overmodelled bovine skull. The piece, whose upper part is coated in plaster and gesso, is oddly redolent of a submarine animal, a sort of octopus that has burst out of the water in front of us, apparently delicate, yet on a solid footing. There is a fragility about it, closely

9. Entretien par mail avec l'artiste, voir note 1.
10. *Ibid.*

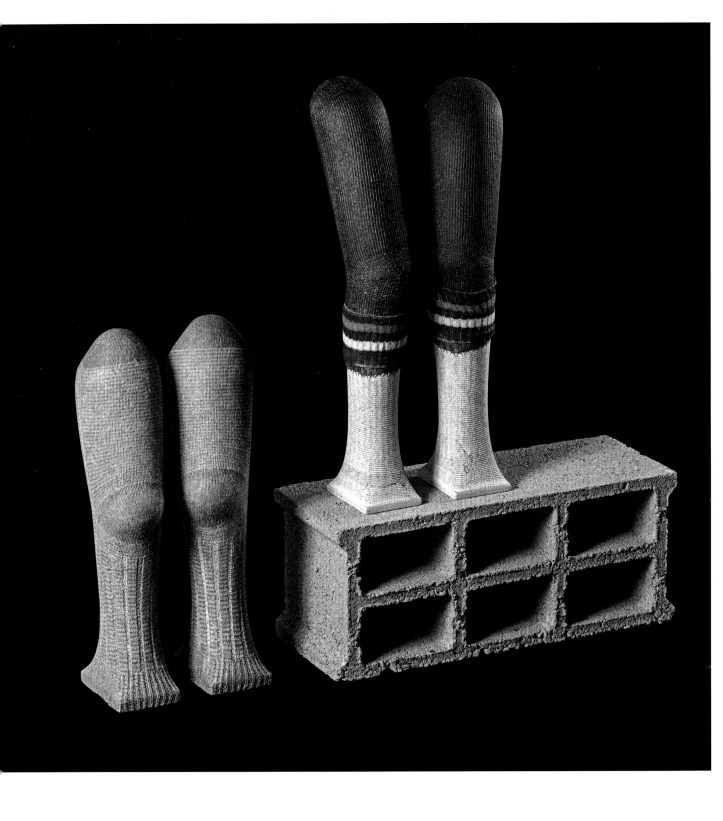

attendant…, 2012
...haussettes, plâtre, agglo ciment/
...ocks, plaster, cement chipboard,
... × 90 × 19 cm

solide sur ses extrémités. Il y a là une délicatesse étroitement combinée à une image de mort redoublée, animale / végétale, qu'accentue l'aspect nu des matériaux – squelette jamais vu, danse macabre à soi seul.

Quant au triptyque (1-2-3), en 2008, il rappelle que le sculpteur est aussi, depuis longtemps, peintre, qui cite, parmi les quatre artistes pour lui cardinaux, avec Brancusi, Beuys et Nauman, Pollock. Mais si la relation qu'entretient l'œuvre avec le maître du *dripping* s'impose, dans le lacis serré, dense, à la surface, Philippe Droguet parle ailleurs du *Carré blanc sur fond blanc* de Malevitch, des *Achromes* de Manzoni, de Ryman. (1-2-3) surtout manifeste autrement que dans de précédentes pièces l'intérêt de l'artiste pour ce qu'il nomme le « tégument ». Il s'agit d'« une membrane qui enveloppe et qui protège le vivant et, par extension, d'une fine paroi entre l'intérieur et l'extérieur, qui simultanément révèle et soustrait au regard. » L'œuvre est parente d'une autre, *Antalia* (2008), qui tient son nom du médium employé, originellement conçu pour les routes, la nuit. « [Dans le cas de (1-2-3)] la texture micro-granuleuse de la peinture la rend littéralement instable puisque [elle] a la particularité de réfléchir la lumière dans l'axe de son rayonnement. Il suffit que le spectateur sorte de cette trajectoire pour que l'éclat de la blancheur disparaisse au profit d'un blanc mat et terne[11]. » Comme ses illustres aînés, Philippe Droguet affronte le monochrome blanc. Une fois encore il met le spectateur au défi, exigeant de lui une curiosité, une attention soutenue, un investissement sans lesquels il pourrait bien ne rien voir / percevoir du raffinement sauvage, de la subtilité de l'œuvre – tout, ou rien.

En majesté

Une violence mine l'esthétisme des pièces, donnant à qui les voit, dans la plupart des cas, l'impression d'une agression potentielle ou passée. « Je veux [dit l'artiste] créer une présence forte capable de déclencher chez le spectateur une émotion porteuse de sens. Je veux induire une gêne, un doute, et susciter des réactions paradoxales. Je veux que le dispositif mis en œuvre soit comme un écho, une résonance au contexte sociopolitique dans lequel il est produit ; que le contexte sous-tende le travail, le nourrisse, sans pour autant lui conférer une dimension narrative. [Il y a bien une alternance entre douceur et violence dans mes sculptures], l'alter-

combined with a redoubled image of death, animal-vegetable, accentuated by the naked aspect of the materials—a skeleton never seen before; a dance of death in itself.

As to the triptych (1-2-3), 2008, it serves as a reminder of the fact that Droguet has also, and for some time, been a painter. The four artists who are most important to him are Brancusi, Beuys, Nauman and Pollock. But if the influence exercised by the master of drip painting appears in the packed, dense interweaving of the surface, Droguet talks elsewhere about Malevich's *White on White*, Manzoni's *Achromes*, and Ryman. Above all, (1-2-3) demonstrates, in a different way from previous pieces, his interest in what he calls the "tegument", i.e. "a membrane that envelopes and protects the living, and, by extension, a thin layer between the inside and the outside, which simultaneously reveals and dissimulates." This work is related to another, *Antalia*, 2008, whose name comes from the medium it uses, which was originally intended for roads by night. In the case of (1-2-3), "the microgranular texture of the paint renders it literally unstable, since [it] has the particularity of reflecting light back along its axis of incidence. The viewer only has to deviate from this trajectory for the dazzling whiteness to be replaced by a dull, flat colour."[11] Like his illustrious predecessors, Droguet confronts the white monochrome. Once more, he challenges his viewers, requiring them to display curiosity and sustained attention, without which they might well fail to see/perceive the savage refinement, the subtlety of the work. Everything or nothing.

In majesty

A certain violence undermines the aestheticism of the pieces, in most cases giving an impression of aggression, potential, or past. As Droguet says, "I want to create a presence capable of producing an emotion that has a signification. I want to arouse a sense of uneasiness, and doubt, and to bring about paradoxical reactions. I want the setup to be like an echo, a resonance with the socio-political context in which it's produced; so that the context underlies the work, and informs it, though without giving it a narrative dimension. [There is indeed an alternation between gentleness and violence in my sculptures]; it's an alternation of hot and cold, like a tangible echo of the world's violence."[12]

11. *Ibid.*

nance de la douche écossaise, chaud/froid, comme un écho tangible à la violence du monde[12]. »

Les panneaux de *Rit* (2009-2012), carrés, petits, montrent le net impact dans du plomb de balles de 11,43 – pour faire taire qui, éliminer quoi ? On croit entendre à chaque fois la déflagration, sa sécheresse définitive, quand on ne saurait concevoir celle, unique, lointaine, fracassante, de *Big Bang* (2011). L'œuvre évoque avec brio l'idée du commencement de tout – d'où son installation, sentinelle brillant de tous ses feux, à l'entrée de l'exposition.

Au contraire, avec *Aurore* (2010) et *Vénus* (2011), il s'agit d'un étouffement. La paraffine s'applique cette fois sur un/des coussin(s). *Aurore* a quelque chose d'élémentaire, de frontal… quand *Vénus* alterne gonflement, pointes dressées, épiderme marmoréen et prolifération stoppée – sculpture féminine résultant d'un fantasme masculin comme autrefois certaines pièces de Duchamp (*Prière de toucher*, 1947), ou comme des sculptures masculines de Louise Bourgeois résultent d'un fantasme féminin.

Quant à *Vectan* (2011), le projet, assourdi, a son origine il y a longtemps, dans une pratique de l'artiste alors étudiant en école d'art. Il aurait dû prendre une forme plus complète, qu'il prendra peut-être un jour : celle d'un environnement constitué de panneaux analogues aux deux présentés, plongeant le visiteur dans l'atmosphère étrangère d'une *black box* aux parois veloutées, noir complet, murs de poudre – pas n'importe laquelle : la « vraie » poudre de cartouches, explosive, offensive. Une fois encore, donc, danger, partout, tout contre.

Battes (2012) surprend par son aspect *cartoon*, pop. La pièce est faite de « chaussettes, bois et plâtre de moulage ». Chaussettes, pourquoi pas, après lampe de bureau, baignoire, cure-dents… Mais chaussettes non seulement noires ou grises : jaune poussin, rose bonbon, bleu ciel, vert pomme, à rayures, à losanges, à motifs, des personnages de dessin animé, l'univers Disney ?!? Ce décrochement inattendu réjouit chez un artiste jusqu'ici très *straight*, adepte d'une économie stricte des matériaux, des couleurs. « C'est pour mieux te manger, mon enfant », répond le loup du conte. Qui dit *Battes* dit coups, et non seulement jeu, sport, surtout de ce côté de l'Atlantique où le base-ball, sa culture, nous sont moins familiers. *Battes* dont la forme aurait pu demeurer bénigne,

Rit (the reverse of "tir"—French for a gunshot), 2009-2012, shows the impact of .45 ACP bullets on small, square lead panels. To silence whom, or to eliminate what? Each time, one gets the feeling of hearing the detonation, its definitive snap, whereas one cannot conceive the unique, distant, shattering sound of *Big Bang*, 2011, which brilliantly evokes the beginning of everything—hence its positioning as a shining sentinel at the entrance to the exhibition.

Aurore, 2010, and *Vénus*, 2011, on the contrary, display a smothering, with paraffin wax being applied to one or more cushions. There is something elemental, frontal, about *Aurore*, whereas *Vénus* has swelling, erect points, a marmorean epidermis and a truncated proliferation—a feminine sculpture resulting from a masculine fantasy, as in pieces such as Duchamp's *Please Touch*, 1947, or Louise Bourgeois' masculine sculptures, resulting from feminine fantasies.

As to *Vectan*, 2011, this is a project that originated during Droguet's art student days. It was to have taken (and may yet take) a more complete form: that of an environment comprised of panels analogous to the current pair, which would plunge the visitor into the alien atmosphere of a "black box" with velvety, powdery walls—and not just any old powder, but the "real" powder of cartridges; explosive, offensive. And so, once more, there is danger, everywhere, close by.

It is the pop, "cartoon" aspect of *Battes* ("Bats"), 2012, that is surprising. The piece is made up of "stockings, wood and plaster". Stockings—why not, after a desk lamp, a bath, toothpicks? But not just in black or grey: canary yellow, candy pink, sky blue, apple green; stripes, diamond patterns, cartoon character motifs, the Disney universe?!? This unexpected deviation is uplifting on the part of an artist who had previously seemed strait-laced, favouring a strict economy of materials and colours. "All the better to eat you with, my dear", to quote the wolf in the tale. Bats mean blows, and not just in play, or sport; particularly on this side of the Atlantic, where baseball and its culture are unfamiliar. Bats, whose form could have remained benign, have turned murderous; and multiple. The work can be exhibited in at least two ways: each bat upright on its square wooden base, forming a mass; or lying on the floor in a heap; a disaster? A third option would be to line them up, with each

12. Entretien avec l'artiste, voir note 4.

...ttes (détail / detail), 2012
...haussettes, bois, plâtre / Socks, wood, plaster,
...mensions variables / variable dimensions

Couvre-feu (détail / detail), 2013
119 nids en bois, ardoise, craie / 119 wooden nests, slate, chalk,
28 × 80 × 930 cm et / and 15 × 20 cm

mais par son usage, s'avère meurtrière – ici multipliée. L'œuvre peut s'exposer de deux façons au moins. Chacune debout sur son socle de bois carré, l'ensemble formant masse ; ou bien en tas, couchées, au sol : un désastre ? Une troisième option serait de les aligner, de rapprocher de l'autre chacun des pieds dans sa chaussette. Effrayante, effroyable armée de membres amputés – tous conflits d'aujourd'hui.

Évoquant l'œuvre de Philippe Droguet dans sa préface à ce catalogue, Thierry Raspail y voit une « beauté tragique » à laquelle l'artiste souscrit.

Couvre-feu (2013) est l'une des dernières pièces qu'il ait produites et l'une des plus importantes montrées à Lyon, magistrale. Elle se présente sous la forme énigmatique d'une double, longue rangée de nichoirs à oiseaux, simples boîtes de bois brut, chacune son trou rond ou carré, toutes les mêmes, ou presque, alignées au même niveau, en hauteur, occupant tout un pan de mur d'une présence modeste, répétée, fantomatique. Car il n'y a plus d'oiseaux. On ne sait pas si c'est depuis longtemps, combien il pouvait y en avoir ni pourquoi ils ont disparu, dans quelles circonstances. L'œuvre est en deux parties, la seconde bien plus discrète, que l'on risque même de manquer : une ardoise d'écolier est accrochée elle aussi assez haut, sur une paroi perpendiculaire ; elle porte quelques chiffres tracés à la craie, une sorte d'opération dont le sens demeurera crypté. Voilà ce que l'on peut voir.

On peut rapprocher cette pièce d'une image récente elle aussi, qui faisait le carton de la précédente exposition personnelle de l'artiste à la galerie Pietro Spartà, au printemps 2012. Parmi cinq autres, une perruche bariolée, vert vif, jaune vif, bec rouge orangé, encapuchonnée de noir (à la différence des autres, plus pâles, et de profil), vous regardait en face. L'ensemble avait pour titre Witness. On peut y repenser – ou pas.

On peut enfin avoir la chance d'entendre Philippe Droguet raconter que, pendant quelques années, il a travaillé dans son atelier juste à côté d'un élevage de ces oiseaux : de l'autre côté du mur, leur pépiement, leurs chants, tout le jour – ce son, cette musique, cet accompagnement constant. Cette présence d'un autre invisible, parlant une langue inconnue, pas un bruit de fond, une vie multiple, cette adresse reçue, laissée sans réponse ? Sauf qu'un jour l'éleveur meurt, les oiseaux sont

stockinged foot placed beside its fellow. A frightening, frightful army of amputated limbs—recalling all of today's conflicts.

In his preface to the catalogue, Thierry Raspail sees in Droguet's work a "tragic beauty"; to which the artist subscribes.

Couvre-feu ("Curfew"), 2013, is one of his most recent works, and one of the exhibition's most important; masterful. It is enigmatic: a long double row of simple, unvarnished wooden nesting boxes high up on a wall; each with a hole, round or square; identical, or almost; and a presence that is modest, repeated, spectral. Because there are no birds. And there is no telling how long this has been the case; how many there might once have been; why they disappeared, or how. The work is in two parts, the second being much less conspicuous than the first, so that it might well be overlooked—a schoolchild's slate, also placed quite high up, on another, perpendicular wall, and bearing some figures in chalk; an operation whose meaning is obscure. So much for what can be seen.

This piece might be likened to an image, also recent, that was reproduced on the invitation card for Droguet's solo exhibition at the Pietro Spartà gallery in the spring of 2012. A bright green and yellow budgerigar with a red-orange beak and a black head looks directly at the viewer among five others, which are paler, and seen in profile. The exhibition was entitled Witness. It might come to mind—or not.

And one might just have an opportunity to hear Philippe Droguet relating how, for some years, he had a studio beside a bird-breeding facility. From the other side of the wall came their chirping, their singing, all day—that sound, that music, that constant accompaniment. The presence of an invisible Other, speaking an unknown language; not a background sound, but a multiple life, an address received, left without a reply? Except that one day the breeder dies, the birds are sold, and everything goes quiet. There is nothing left except deserted habitats, silence, memory. A city no longer exists when those who have peopled it leave. There remains an image of these empty houses, each with its black hole, and the heavy silence of all those bygone songs, all those distinct voices, now absent. But the existence of this piece means that the neighbourly presence

vre-feu (détail / detail), 2013
nids en bois, ardoise, craie / 119 wooden nests, slate, chalk,
× 80 × 930 cm et / and 15 × 20 cm

vendus, très vite tout se tait. Ne restent que ces habitats déserts, et le silence, le souvenir. La cité n'existe plus quand ceux qui la peuplaient s'en vont. L'image demeure de ces maisons vides, chacune son trou noir. La rejoint le poids d'un silence lourd de tous les chants passés, toutes les voix distinctes, révolus. Du fait de cette pièce, la présence voisine n'a pas disparu. Elle est la trace d'une histoire, l'évocation du politique. Une forme d'archive, éloquente de sons, d'une vie, perdus.

has not disappeared. It is the trace of a history, an evocation of the political. A form of archive, eloquent with sounds, and a life, lost.

1. "A lot of my works operate in this paradoxical mode, playing precisely on ambivalences or antagonisms between contradictory aspects. The form is elaborated on the lines of a quite familiar thing, masked by effects of matter—soft, silky, iridescent, sparkling—that you'd like to approach, or even touch. The first reading is falsified by the deceptive appearance of the surface. You have to look more closely, a second time, to understand the true nature of the object. There's a discrepancy between the proclaimed image and the reality of its constituents. A decoy for the eye, which only needs to be questioned in *order* for all of its articulations to be understood." (Email interview with the artist, by the present author, 12 May—16 June 2013)

2. See the catalogue of the exhibition *Philippe Droguet. Matière à doute*, at the Centre d'art contemporain, Lacoux, with texts by Anne Bertrand and Philippe Grand, Lyon, Fage Éditions, coll. "Varia", 2006.

3. "1984 was an important year for me, in that it marked the end of my adolescence and the start of a commitment to the path I'd chosen. This decision was first and foremost motivated by a desire to free myself from an excessively restricted environment that gave very little access to the world, but also an urge to change a certain kind of life for the one I wanted to live. Without really knowing anything about the art world, I was irresistibly drawn to the little I *did* know about it at the time.
The first artist I encountered through [the fine arts school in Mâcon] was Daniel Buren. […] He was followed by, among others, Luciano Fabro and Richard Deacon […] As regards theory, I remember being very impressed by Germano Celant's lecture on Arte Povera at the Nouveau Musée in Villeurbanne, on Jean-Louis Maubant's invitation. […]
In 1989, I worked on the exhibition *La Couleur seule, l'expérience du monochrome* at mac^LYON. I met Thierry Raspail and Thierry Prat, attended a lecture by Maurice Besset [the exhibition curator], and became acquainted with some major works from the 20th century. I was totally won over, and realised, at that point, that I would undoubtedly be an artist." (Ibid.)

4. Interview with the artist, by Hervé Percebois, March 2013.

5. "My visual culture has made it possible for me, over the years, to map the landscape that constitutes the background of my work, which func-

tions as a material in its own right. I talked about […] possible associations of ideas regarding a substance, and also the way in which they are then enclosed in a form derived from a process. And in a sense, I could say the same thing about a 'history of recent art', in other words that which was painted as a background by Duchamp, Bataille, Painlevé, Lotar, Dali, etc., upon which, in a sort of cross-fade, a second [history] is superimposed, which could include more contemporary artists such as Beuys, Louise Bourgeois, Cragg… and then a third […]
I was amazed by some of Beuys's installations, without really understanding what they meant, but touched by their power, and interrogated by the singularity of the setups and the materials. Louise Bourgeois' works interested me in terms of their strong erotic charge, and their relationship between form and content (though I was bothered by their autobiographical dimension, which I sometimes found obtrusive). Also the affinities some of them had with Brancusi's work, which particularly interested me, [given] his relentless quest to extract the essence of things from materials of great sensuality—which can be seen in some of Penone's works, and notably the *Alberi* ("Trees") series. (Email interview with the artist, see note 1.)

6. Ibid.
7. Ibid.
8. The material "has always been, more or less, a stimulus to future work. In terms of the idea I want to develop, I opt for one or more materials. These same materials provide me with a palette of information that I combine with literary, historical, philosophical or iconographical references; which allows me to put together 'thoughts in images'." (Interview with the artist, see note 4.)
9. Email interview with the artist, see note 1.
10. Ibid.
11. Ibid.
12. Interview with the artist, see note 4.

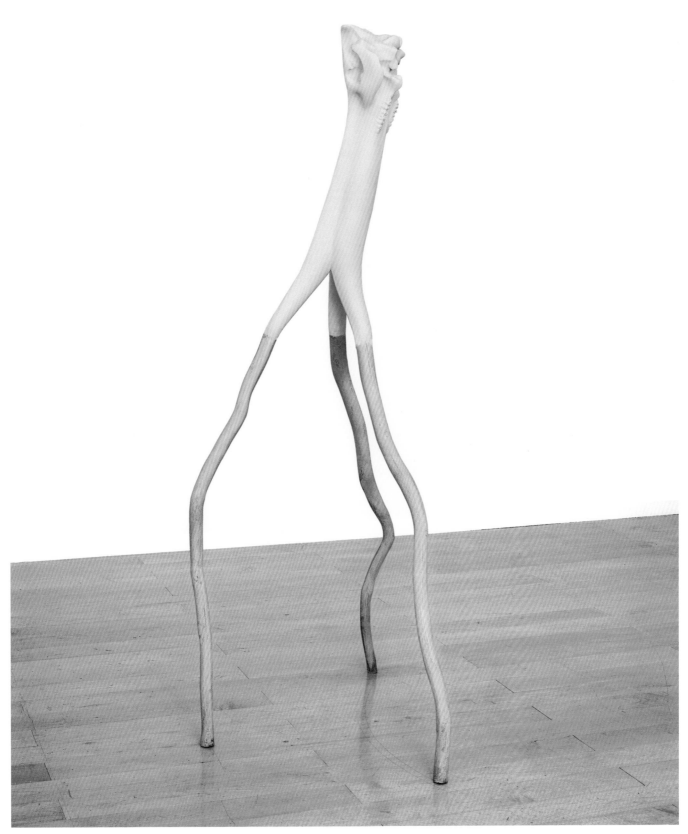

Y-z-s-o-k-a-r, 2005-2007
Crâne de bovin surmodelé, branche, plâtre, gesso /
Overmodeled bovine's skull, branch, plaster, gesso, 180 x 80 x 85 cm

Sirènes, 2006
Coquillages, silicone, semences de tapissier/Shells, silicone, upholsterer tacks,
20 × 22 × 21 cm et/and 11 × 13 × 10 cm

Tête, 2011
Coquillage surmodelé, cornes, silicone, vis/
Overmodeled shell, horns, silicone, screws, 63 × 32 × 24

Entretien, 2000-2001
Vessies de bœuf, bureau, lampe, fauteuil, chaise, tabouret, bassine, lessiveuse, bitume /
Cow bladders, desk, lamp, armchair, chair, stool, basin, wash boiler, asphalt,
150 × 273 × 255 cm environ / approx.

Trophée C1, 2012
Bronze à cire perdue à patine turquoise /
Lost-wax bronze with turquoise patina, 26 × 24 × 22 cm

(1-2-3) (détail / detail), 2008
Peinture réfléchissante pour enrobé /
Reflective paint for bituminous mix, 195 × 395 × 3,5

(1-2-3), 2008
Peinture réfléchissante pour enrobé /
Reflective paint for bituminous mix, 195 × 395 × 3,5 cm

Rit VII, 2012
Plomb, balles de 11,43 / Lead, .45 bullets,
25 x 25 x 5 cm

, 2010
omb, balles de 11,43 / Lead, .45 bullets,
, 2 × 27,2 × 5 cm

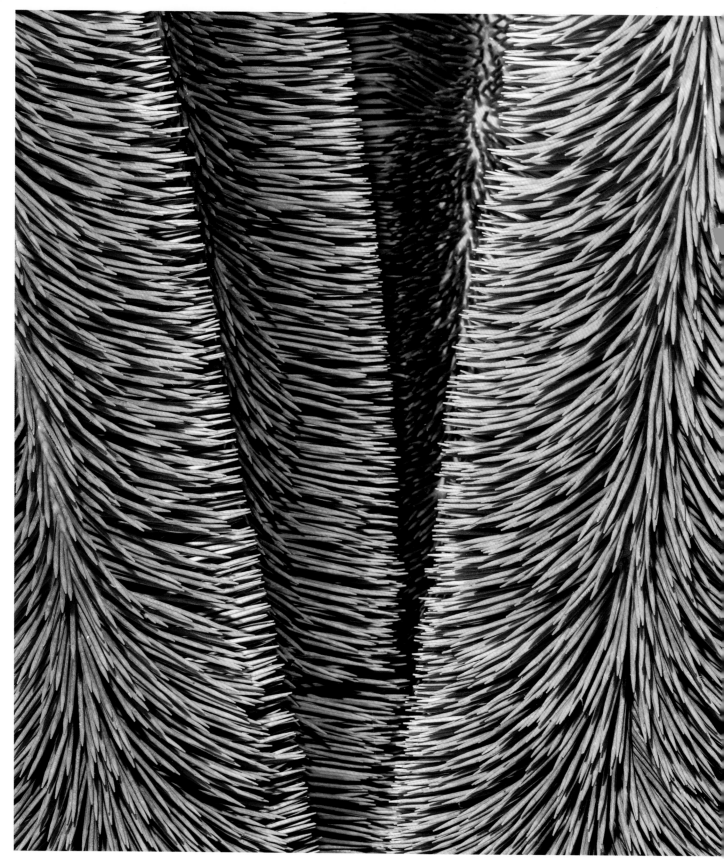

Méduse (détail / detail), 2008
Arbres, cure-dents / Trees, toothpicks,
215 × 253 × 150 cm environ / approx.

En plein cœur de la nuit, alors que les derniers gardiens ont depuis longtemps déserté les lieux et que le musée s'est transformé en coffre-fort… Alors qu'une simple souris n'échapperait pas aux détecteurs de présence et que seule la ventila-

In the depths of the night, long after the last attendants have deserted the museum, and it's turned into a strongroom… When not even a mouse could get past the detectors of movement, and the only sound is the low hum of the

ANAÏD DEMIR

TOUT L'ART DU CAMOUFLAGE /
THE ENTIRE ART OF CAMOUFLAGE

tion émet son doux ronron… Un râle profond s'élève de l'une des salles d'exposition.

Qui peut respirer si librement en ces murs, sinon les acteurs principaux de *Blow Up*, l'exposition de Philippe Droguet, les œuvres elles-mêmes et en personne ?

De loin, une atmosphère paisible et sensuelle se dégage de ces paysages. Faune et flore semblent en accord. Aucune menace. Beaucoup de douceur.

Mais que l'on ne se fie pas aux apparences… C'est le règne des faux-semblants et partout où l'on pose les yeux, le danger guette. Ici, un animal sauvage prêt à bondir se tapit. Là, une menaçante créature sommeille.

De gré ou de force, sous l'aveuglante lumière de l'une des installations principales, les œuvres de l'exposition s'offrent sous un nouveau jour, sortent de leur mutisme et passent même parfois aux aveux.

Du haut de son perchoir, posté très haut dans son mirador, un drôle d'oiseau dont seuls les plus vigilants peuvent remarquer la présence se met à répéter à l'envi à qui veut l'entendre :
« Personne ne sort d'ici. Vous m'entendez ? Personne ne s'échappe d'entre ces murs tant que je veille, personne ! »

Gonflé d'orgueil, l'impressionnant rapace a un plumage bardé de piques. Comme coiffé à l'iroquois. Mais cet officier en vigie ne lâche pas ses proies des yeux.

Est-on en temps de guerre sans le savoir ? C'est bien possible. Les fantômes de l'Histoire rôdent et l'animal est aux ordres d'un certain « Herr Colonel », l'être sanguinaire qui est posté au fond de la pièce, à son bureau.

« Messieurs, je me dois de temps à autre, en tant que responsable de ce campement, et soucieux de votre bien-être, de vous rappeler que vous n'êtes rien de plus que mes prisonniers. »

Et de temps en temps le rapace lâche une phrase qui pose son autorité.

ventilation system… A profound groan emanates from one of the exhibition rooms.

Who could be breathing so freely within these walls, if not the leading actors of Philippe Droguet's exhibition *Blow Up*? The works themselves, that's who.

Seen from a distance, the place looks peaceful, sensual. The flora and fauna seem to be in harmony. Not alarming. Much mellowness.

But appearances can be deceptive… This is a realm of deception, and everywhere you look, danger's lurking. Right here, a wild animal crouches, ready to pounce. Over there, a menacing creature dozes.

Like it or not, in the blinding light of a major installation the works look different as they emerge from their silence, and even, sometimes, lay bare their souls.

Up there on its perch, in its watchtower, a weird bird that you have to look hard to make out repeats over and over, to anyone who'll listen: "No one leaves. You hear? No one gets out as long as I'm keeping watch. No one!"

Puffed up with self-importance, the impressive raptor's plumage bristles with spikes, like a Mohican haircut. But in his lookout post, the guard keeps an eye on his prey.

Are we at war, unbeknownst to ourselves? Quite possibly. The ghosts of History are prowling, and the animal's under the command of a certain "Herr Colonel"—a bloodthirsty being behind a desk at the other end of the room.

"As the head of this camp, gentlemen, and with regard to your wellbeing, I have a duty to remind you, from time to time, that you are quite simply my prisoners."

And from time to time, the raptor spits out a few words that emphasise his authority.

"At your service, Herr Colonel… I'm keeping my eyes open. Nothing and no one gets out of here."

« À vos ordres, Herr Colonel… Je surveille. Rien ni personne ne sortira d'ici. »

Dans un coin, au sol, de sa voix suave, une draperie recouverte de paraffine qui évoque la douceur même y va de son commentaire.

« Herr Colonel ? Une vraie peau de vache, je l'ai vu à l'œuvre. La bassine sur son bureau l'atteste ! Avec lui, on ne passe pas une audition, je vous assure : c'est bel et bien un interrogatoire sans aucune forme de courtoisie. On est là pour cracher le morceau ! Il est prêt à nous lessiver pour ça ! Mais de quoi on nous accuse, ça, c'est une autre affaire ! On ne sait pas ! »

Un peu plus loin, accolé au mur comme un petit soldat, un pain de plomb gémissant confirme et se pose même en victime.

« Un vrai sadique ! Regardez-moi, il m'a arrangé le portrait ! J'ai pris des pains sans avoir décroché un mot ! J'ai le visage tuméfié, couvert de bleus. Tout ça pourquoi ? On m'accuse d'avoir plombé l'atmosphère au lieu d'obtempérer pendant l'interrogatoire ! C'est de la violence gratuite ! »

Le colonel prend enfin la parole. Pleins watts sur la chaise qui lui fait face, il s'adresse à un auditoire invisible.

« J'ai ici les moyens de vous faire passer aux aveux, alors pas d'entourloupes ! Vous devez respecter le protocole. Répondre aux questions. À toutes les questions. »

Ne se laissant pas impressionner, toujours alanguie, la draperie reprend tranquillement :
« Plus qu'une "peau de vache", c'est un porc… D'ailleurs, tout son mobilier pour les interrogatoires est fait de vessies de porc ! Une texture très spéciale qui rappelle presque la peau humaine. J'en ai la chair de poule rien que de l'évoquer. Et je vous préviens, ce n'est pas un choix anodin de sa part. C'est une allusion directe aux heures sombres de l'Histoire. Rappelez-vous la "Chienne de Buchenwald" ! »

Un peu plus loin, une autre draperie que l'on pensait de marbre, figée sur son parapet, continue…

« Vous faites allusion à Ilse Koch, l'épouse d'un haut placé nazi qui faisait fabriquer des pièces de maroquinerie avec la peau tatouée des déportés ! Une horreur ! »

Herr Colonel braque la lumière avec violence sur elle :
« Vous avez quelque chose contre la vessie de porc, ma chère ? Alors rassurez-vous, il s'agit

Lying in a corner, a drape covered in paraffin wax, the epitome of softness, adds a silken comment:

"Herr Colonel? A real bastard! I've seen him at work. Just look at that basin on his desk! With him, it's no mere audition, I can assure you. It's an interrogation, no holds barred. You're there to reveal all! He'll put you through the mill! But what are you accused of? That's another matter! You don't even know!"

A bit further on, leaning against the wall like a little soldier, a slab of lead moans in agreement. It claims to be a victim.

"A real sadist! Look how he smashed me up! I got slapped around before even saying a word! My face is swollen, covered in bruises. And for what? Accused of launching a lead balloon, instead of going along with the interrogation! Gratuitous violence!"

Finally, the colonel speaks. Directing the full glare of his lamp onto the chair opposite him, he addresses an invisible audience.

"I have ways of making you talk, so—no funny business! Respect the protocol and answer the questions. *All* the questions."

Unintimidated, languid, the drape replies calmly:
"More than a bastard. A pig. And all the interrogation gear's made of pigs' bladders! A special texture that feels almost like human skin. I get goose pimples thinking about it. And let me tell you, it wasn't an innocent choice on his part. It's a direct reference to the darkest hours of History. Remember the 'Bitch of Buchenwald'!"

A bit further on, another drape, frozen on its parapet like marble, continues:

"You're talking about Ilse Koch, the wife of a high-ranking Nazi, who had 'leather goods' made from the tattooed skin of deportees! Horror!"

Herr Colonel brusquely turns the light onto it:
"You have something against pigs' bladders, my dear? But in fact they're *cows'* bladders! It's a noble material, soft and easy to work.

– Noble? What I see is the death and negation of other people! I see a direct reference to World War 2 and the death camps.

– Come now… You're being a little extreme. You see the allusions to death that you *want* to see. But take a look at my trophies in the next room, and you'll find that it's possible to make

de vessie de bœuf ! Sachez que c'est un matériau d'une grande noblesse. Très souple, agréable à travailler.

– De la noblesse ? J'y vois plutôt la mort et la négation de son prochain ! J'y vois une allusion directe à la Seconde Guerre mondiale et ses camps de la mort.

– Allons, allons… Vous êtes un peu extrême. Vous y voyez les allusions à la mort que vous voulez bien y voir. Jetez plutôt un coup d'œil sur mes trophées dans la salle à côté et vous verrez qu'on peut faire de très beaux tableaux avec ces vessies. Une fois remplies de plâtre, la peau tendue, lisse et rebondie… Ça ne vous donne pas envie d'y passer la main ?

– Absolument pas ! Et éteignez cette lumière, vous m'aveuglez ! Ce sont des organes… des organes morts !

– Une fois recouverts de peinture bleue et de cire, vous voyez bien que vous les trouvez parfaitement acceptables, mes trophées… Ils n'ont même plus rien d'organique !

– Vous avez raison, Herr Colonel… Elles se dressent au mur comme des galons… Elles viennent souligner la force invincible de notre Reich, mon Herr Colonel…

– Et puis, ici même vous pouvez admirer ma série de *Battes*… »

Le colonel braque alors sa lampe sur un îlot d'éléments regroupés au centre de la pièce et proclame fièrement :

« Messieurs, je vous présente mon armée ! »

En lieu et place de cette armée, les draperies ne voient qu'une énorme farce.

« Ça, une armée ? Plutôt une bande de pieds nickelés ! Des pieds atrophiés, recouverts d'une chaussette ! Elle est gaie, votre armée multicolore ! Essayez donc de les faire bouger, ils n'iront pas loin ! C'est tout au plus un jeu de quilles facile à dégommer ! »

Parmi les *Battes*, quelques-unes se rebellent contre la draperie…

« Un ton plus bas, ma jolie ! Je peux encore vous coller mon talon où je pense !

– Ils sont vulgaires, avec ça… De vrais veaux ! Réveillez-vous, les gars, vous n'êtes que des bêtes d'abattoir, vous aussi… Vous n'êtes que de la chair à canon ! Votre sort, c'est de finir alignés contre un mur… »

Une batte un peu plus éveillée que les autres s'exclame alors :

beautiful pictures with bladders. When filled with plaster, so that the skin's stretched, smooth, full… Don't you feel like stroking it?

– Absolutely not! And put that light out. You're blinding me! They're organs… dead organs!

– Once they're covered in blue paint and wax, my trophies are perfectly fine… There's nothing organic about them any more!

– You're right, Herr Colonel… They're like military mementos hanging on the wall… They represent the irresistible might of our Reich, Herr Colonel…

– And here you can admire my *Battes*…"

The colonel points his lamp at a heap of elements in the centre of the space, and proudly proclaims:

"Gentlemen, my army!"

But where the army's supposed to be, the drapes just see a complete farce.

"That? An army? More like a bunch of layabouts! Atrophied feet in stockings! A motley army, indeed! Try and get them marching—they won't go far! Nothing but skittles, easy to knock over!"

Some of the *Battes* balk at this:

"Pipe down, my lass! I could stick my heel you know where!

– And vulgar into the bargain. Real asses! Wake up, there, you're heading for the slaughterhouse too… Cannon fodder! One of these days, you'll be stood against a wall…"

Just then, a high-spirited bat exclaims:

"So what are we supposed to do? We know our fate… They cleared out the aviaries one fine day, without warning! And since then, there's been a deathly hush! The joyful, noisy birds have fallen silent. Gone missing! We don't know what's become of them, though we can guess…"

And the drape adds:

"Huh? There I was, taking it for poetry…

– It's certainly the finest image of a *Couvre-feu* —a curfew—that you could imagine… An aviary with no birds!

– You're sending shivers down my spine…

– You don't know what you're talking about, soldier. The inhabitants of these one hundred nineteen aviaries died a natural death!"

And the colonel turns the lamp onto a magnificent blue bathtub with lion's paws, the inside of which is covered in a sort of fur that just begs to be stroked. In a wheedling voice, he

The Black Cuve, 2008
Baignoire, silicone, semences de tapissier /
Bathtub, silicone, upholsterer tacks, 69 × 180 × 84 cm

« Que voulez-vous que l'on fasse ? Le sort qui nous est réservé, on le connaît… Ils ont vidé les habitants de ces volières par un beau matin, sans crier gare ! Depuis, c'est un silence de mort ! Tous ces oiseaux se sont tus, ils sont portés disparus ! On ne sait pas ce que leurs joyeux et bruyants habitants sont devenus, mais il y a de quoi le deviner…

– Ah ? Et moi qui y voyais de la poésie ! s'exclame la draperie.

– C'est bien la plus belle image de *couvre-feu* dont on puisse rêver… Une volière sans oiseaux !

– Vous me faites froid dans le dos…

– Soldat, vous ne savez pas de quoi vous parlez. Les habitants de ces cent dix-neuf volières sont partis d'une mort naturelle ! »

Et le colonel braque l'éclairage sur une magnifique baignoire bleue à pattes de lion. Sa face interne est recouverte d'une sorte de fourrure qui semble appeler les caresses. Il suggère mielleusement à la draperie d'en disposer : « Je vous fais couler un bain, ma chère ?

– Ah ! Ah ! Ah ! Vous croyez que je n'ai pas vu clair dans votre petit jeu ? Une baignoire remplie de semences de tapissier ! Vous ne cherchez donc qu'à m'écorcher ?

– Ce que vous pouvez être susceptible… Ne cherchez pas le mal là où il n'est pas, ajoute le colonel avec un rire grinçant. Il y en a aussi une dans la salle explosive, juste à côté, avec une décoration plus florale si vous préférez. Au cas où vous changeriez d'avis… C'est mon *cadeau*. D'ailleurs, c'est son titre. Et si vous avez une petite envie, il y a aussi sa version WC !

– Parfait, parfait… Rien à faire de vos cadeaux empoisonnés…

– Ah ! Allez, je vous confie à mon amie qui est à côté, *Marine*. Elle va tout vous expliquer !

– Appelez-la plutôt, qu'elle vienne me chercher !

– À vrai dire, elle doit passer pour tout autre chose… »

En moins de deux, *Marine* est là. C'est un bel animal à six pattes doté d'une belle fourrure dorée. Une bestiole franchement sympathique de prime abord, mais attention aux mâchoires, elles sont acérées. C'est une sorte de monstre marin aux airs préhistoriques. Toujours en mouvement, hautement séduisante, *Marine* sait où elle va… et elle avance comme une menace sourde.

suggests the drape make use of it: "Shall I run you a bath, my dear?

– Ha! You think I can't see through your little game? A bath full of tacks! You want to skin me alive?"

And the colonel adds, with a hollow laugh:

"How touchy you are. You shouldn't look for evil thoughts where there aren't any…And there's another one next door in the explosives room. With a more floral decoration, if you prefer that. Just in case you change your mind… It's a *Cadeau*—a present. By the way, it's its title. And if you have to 'go', there's also its toilet version!

– Perfect, perfect… No truck with your poisoned gifts…

– Aha! Right, I'll hand you over to my friend next door, *Marine*. She'll explain everything!

– Have her come and fetch me!

– As it happens, she'll be stopping by on other business…"

Very shortly, *Marine* arrives. She's really lovely, with her six paws and golden fur. A frankly friendly beast, at first sight. But watch out for the jaws: they're sharp. She's a sort of prehistoric-looking sea monster. Always moving, highly seductive —*Marine* knows where she's going… and she advances like a heavy menace.

"You sent for me, Herr Colonel?

– Yes. How are things going next door?

– Could you kindly turn that lamp the other way? I can't hear myself think!

– I was forgetting, of course—you're not being interrogated!

– Yes, but I felt it was important to present a report on the situation, in due form…

– What's new at the front?

– Well, we're making progress in the polls, slowly but surely…As you know, insecurity's the order of the day. Authority has to be re-established —and we'll get there, come what may.

– What about the climate?

– As explosive as you could imagine. A perfect deterrent. In my sector, the walls are covered with two large black pictures… magnificent monochromes, immense and imposing, that turn out to be made of explosive black powder.

– Ah yes, Vectan… What we use when we go hunting!

– Right!! I was forgetting that you're an explosives expert! You can run my part of the exhibition!

«Vous m'avez fait demander, Herr Colonel ?

– Oui. Comment les choses se passent-elles à côté ?

– Vous pouvez tourner la lampe dans l'autre sens, s'il vous plaît ? Ça m'empêche de penser !

– J'oubliais… Vous n'êtes pas en situation d'interrogatoire !

– Non. Il me semble important, néanmoins, de vous faire un rapport en bonne et due forme sur la situation…

– Quoi de neuf sur le front ?

– Eh bien, on avance doucement mais sûrement dans les sondages… Comme vous le savez, l'insécurité est à l'ordre du jour. Il faut rétablir l'autorité et nous y parviendrons coûte que coûte.

– Donnez-moi un peu le climat…

– Explosif à souhait. Parfaitement dissuasif. Dans mon secteur, les murs sont recouverts de deux tableaux grand format noirs… De magnifiques monochromes, immenses et imposants, qui, une fois qu'on s'y arrête, se révèlent faits de poudre noire explosive.

– Ah oui, du Vectan… La poudre dont on se sert pour aller à la chasse !

– Mais parfaitement ! J'oubliais que vous étiez un expert en matière d'explosifs ! Vous savez que je vais vous engager pour diriger ma partie de l'exposition… !

– N'allez pas si vite, *Marine*, je vous dirige déjà de là où je me trouve, n'oubliez pas !

– Heu… oui, bien sûr, Herr Colonel… Par ailleurs, je continue de lutter contre l'insécurité dans ma circonscription…

– Vous savez que des armes secrètes nouvelles et puissantes continuent de sortir de nos usines chaque jour. Nous avons des chars capables d'écraser toute résistance comme une coquille de noix… Alors pas d'inquiétude.

– Nous attendons de pouvoir les tester, Herr Colonel… Nos troupes continuent de s'entraîner assidûment. J'ai dans mon secteur cinq magnifiques tableaux percés de balles de calibre 11,43… Ce n'est pas très impressionnant, mais il faut bien que les soldats déchargent un peu leurs tensions sur ces pains de plomb. Sinon, Dieu sait ce qu'ils feraient de toute l'agressivité qui est en eux ! Mais dites-moi, ce n'est pas mal non plus, par chez vous. L'ordre règne. Il n'y a pas un bruit. À part peut-être ces choses qui traînent au sol… des serpillières, peut-être ?

– Not so fast, *Marine*. I'm running you already from where I am, and don't forget it!

– Euuh… Yes of course, Herr Colonel… And I'm carrying on the fight against insecurity in my district…

– As you know, new, powerful secret arms are coming off our production lines daily. We have tanks that can crush resistance like a nut… So, no problem.

– We're waiting to try them out, Herr Colonel… Our troops are training hard. In my sector there are five magnificent pictures riddled with .45 bullets… Not very impressive, but the soldiers need to let off some steam on the lead slabs, otherwise who knows what they'd do with all that aggression? And in fact it's not bad at your end either. Order reigns. There's not a sound—except for those things that are lying around… Floorcloths, maybe?

– Don't worry… All's well here. Victory's smiling on our glorious soldiers…

– Yes, I see that… Herr Colonel.

– Did you know, there's a charming couple in your neighbourhood?

– Ah, no. Who's that? All I've noticed, in my neighbourhood, is a sort of bordello, and a lot of strange people going in and out from morning to night. There's no end to it! *Sirènes*, with shells covered in tacks… Homages to Courbet's *The Origin of the World*, I presume… Things that sting, in any case. Horns of victory, tangled up in wave mechanics! A brothel, I tell you… and in the middle, a white body… Or maybe it's a torso? Or a supine figure? Or maybe that's what ecstasy means?

– Hmmm… hmmm… *Marine, Marine*… you're wandering. No, I'm talking about your entourage. You realise, of course, that you have an ex-president in your neighbourhood?

– Absolutely not. Who would that be?

– I'll call him in to report on his sector. But you really don't know *Y-z-s-o-k-a-r*?

– Never heard of him. Another rare species? Maybe if I saw him… In any case, I hope he's not one of those presidents who are known for their hard words and soft hands.

– He'll be here any minute, with his *Vénus*, and you'll see for yourself.

– Ah! So he's a hedonist who never goes out without his dancing girl. Unfortunately I can't stay,

– Ne vous inquiétez pas… Et sachez que les choses ici se passent de la meilleure façon possible. La victoire sourit à nos glorieux soldats…

– Ah oui, je vois ça, Herr Colonel.

– Savez-vous que dans votre voisinage, vous avez un couple charmant ?

– Ah non… Et qui donc ? Dans mon voisinage, j'ai surtout noté l'existence d'une sorte de lupanar. J'ai vu passer là une incroyable faune. Du matin au soir, ça ne désemplit pas ! Des *sirènes* dont le coquillage est recouvert de semences… Des hommages à *L'Origine du monde* de Courbet, je présume… Des choses très urticantes, en tout cas. Et puis des cornes victorieuses dardées de vis, prises dans des mécaniques ondulatoires ! Un bordel, je vous dis… Et au centre de tout ça, un corps blanc… À moins qu'il ne s'agisse d'un tronc ? Ou d'un gisant ? À moins que ce ne soit ça, l'extase ?

– Hum, hum… *Marine, Marine*… Vous vous égarez. Non, je vous parle de votre entourage. Vous savez que vous comptez un ancien président dans votre voisinage, n'est-ce pas ?

– Absolument pas, non. Qui cela peut-il bien être ?

– Je vais le faire venir pour qu'il me fasse un rapport sur son secteur. Vous ne connaissez pas *Y-z-s-o-k-a-r* ?

– Encore une espèce rare ? Jamais entendu parler. Peut-être que si je le voyais… En tout cas, j'espère qu'il ne faisait pas partie de cette race de présidents qui ont le verbe dur et la main molle.

– Il sera là d'une minute à l'autre avec sa *Vénus*… Vous verrez par vous-même.

– Ah ! Je vois qu'il s'agit d'un jouisseur qui ne sort pas sans sa danseuse. Malheureusement, je ne peux rester, mais faites-lui mes amitiés, Herr Colonel… »

Y-z-s-o-k-a-r et sa dulcinée ne se font pas attendre après le départ de *Marine*. *Y-z-s-o-k-a-r* est un personnage singulier, à la fois frêle et bien solide. Une silhouette et une démarche impossibles à confondre. Et comme à son habitude, fendu d'un sourire, toujours très à l'aise même en terre inconnue, il fait son entrée dans le bureau du colonel.

« Ah, dites donc, mais c'est cosy, chez vous… J'aime beaucoup la déco. Ma chérie, tu ne verrais pas ça pour mon bureau à la maison ?

but I trust you'll convey him my best wishes, Herr Colonel…"

Y-z-s-o-k-a-r and his paramour arrive just after *Marine*'s departure. *Y-z-s-o-k-a-r*'s quite a character, thin but well built. Distinctive figure and gait. Smiling broadly, as usual. Relaxed, regardless of circumstances, he enters the Colonel's office.

"Nice place… I like the style. Don't you think it would suit my study, darling? But who did the design? And what is it, in fact? Snakeskin? Shagreen?

– Have a seat, *Y-z-s-o-k-a-r*… I'm the one who asks the questions round here!

– Allow me to introduce you to my wife, Colonel: *Vénus*…"

Vénus, in her sumptuous satin dress, curtsies. She's at the height of her beauty, and her charms don't escape the attention of the Colonel…

– En-chan-ted, *Vénus*. You're most charming. My dear *Y-z-s-o-k-a-r*, you keep such delightful company… Ha, ha ha!

– Oh, Herr Colonel… I make no special effort!

– Well, down to business! Let's see, let's see… *Y-z-s-o-k-a-r*, I await your report. How is the situation in your district?

– Listen: I'm going to give you a blunt reply, but with democratic courtesy. I can say that things have calmed down."

And now *Vénus* takes the floor:

"Recently, my husband's been spending much more time at home. He looks after the children, goes jogging… And he's a brilliant cook! It's real family life. These last few years, you know, I've been worried about him. It's not easy, when your husband's the president, and you see him wearing himself out. It's hard, for a wife… And then, you know, we've had our little *Aurore*…

– I heard about it in the media. Congratulations…

– Ah… the media. Don't talk to me about those hyenas. I'm on the covers of all the magazines. They make fun of me, you know… But the most important thing is for my husband to be happy…"

Y-z-s-o-k-a-r:

"*Vénus*, *Vénus*, you're wonderful… But let me just say… Let me talk to the colonel… Hey, darling…

– Go ahead, *Y-z-s-o-k-a-r*!

Qui a signé le design ? C'est quoi ? Hein ? Du python ? Du galuchat ?

– Asseyez-vous, *Y-z-s-o-k-a-r*… Ici, c'est moi qui pose les questions !

– Permettez-moi de vous présenter mon épouse, mon colonel : *Vénus*… »

Vénus esquisse une révérence dans sa belle robe satinée. Elle est à l'apogée de sa beauté et rien de ce que son corps de rêve recèle n'échappe au colonel…

« En-chan-té, *Vénus*. Vous êtes charmante. Vous savez toujours bien vous entourer, mon cher *Y-z-s-o-k-a-r*… Ah ! Ah ! Ah !

– Oh… Herr Colonel… Je ne fais pourtant rien pour ça !

– Bien, revenons à nos moutons ! Allons, allons, *Y-z-s-o-k-a-r*… J'attends votre rapport. Comment cela se passe-t-il dans votre circonscription ?

– Écoutez… Je vais répondre fermement mais avec une courtoisie républicaine. Eh bien, je dirais que depuis quelque temps, c'est le retour au calme. »

Vénus prend la parole…

« Oui, vous savez, depuis quelque temps, mon mari est beaucoup plus présent à la maison. Il s'occupe des enfants, prend le temps de faire son jogging… Et il fait divinement bien la cuisine ! Une vraie vie de famille. Parce que ces dernières années, vous savez, j'ai eu très peur pour mon mari. Ce n'est pas facile quand votre mari est président et que vous le voyez s'éreinter au travail. C'est très éprouvant pour une femme… Et puis, voyez-vous, je viens de mettre au monde notre petite *Aurore*…

– J'ai appris ça par les médias, félicitations…

– Ah les médias, ces chiens, ne m'en parlez pas… Je fais la couverture de tous les magazines. Ils se paient sans cesse ma tête, vous savez… Mais le plus important, c'est le bonheur de mon mari…

– *Vénus, Vénus*, tu es un amour, dit *Y-z-s-o-k-a-r*. Mais laisse-moi parler… Laisse-moi m'entretenir avec le colonel… Hein, mon poussin…

– Je vous écoute, *Y-z-s-o-k-a-r* !

– Comme vous avez pu l'entendre, je me suis un peu isolé mais je travaille toujours à faire régner l'ordre et la sécurité dans mon périmètre. Pour l'instant, je ne rencontre aucune résistance. Il faut dire que ma protection rapprochée n'a pas changé…

Méduse (détail / detail), 2008
Arbres, cure-dents / Trees, toothpicks,
215 × 253 × 150 cm environ / approx.

– As you know, I'm a little isolated. But I'm still working to maintain law and order within my perimeter. So far, I haven't encountered any resistance. It should be said that I've taken no particular measures…"

Herr Colonel bathes *Vénus* in a halo of light that makes her look even better:
"Right! I see who you mean.

– Yes, I'm talking about my advisers and body-guards. I call them my *Méduses*, for a joke, but I can assure you, they don't fool around. Tentacular, uncontrollable, thorny… They can petrify you with a glance. I've pushed terror back beyond the boundaries of my district. We're not affected any more. I think I can be proud of the results I've achieved, Herr Colonel…"

They're finally starting to loosen up, when suddenly a huge explosion rocks one of the exhibition rooms. The attendant sounds the alert. Is it the worst-case scenario?
"Unleash the dogs… Attempted breakout! Attempted breakout! Red alert! Red alert!"

– Ah oui, je vois bien de qui vous parlez, dit le colonel en plongeant *Vénus* dans un halo de lumière qui la met plus en valeur encore.

– Oui, je parle de mes conseillers et gardes du corps. Je les appelle mes *Méduses* pour plaisanter, mais je vous assure que ce ne sont pas des rigolos. Tentaculaires, incontrôlables, pleins d'épines… Ils vous pétrifieraient d'un regard. J'ai repoussé la terreur aux portes de ma circonscription. Les fléaux n'ont plus de prise sur nous. Je crois que je n'ai pas à rougir de mon bilan, Herr Colonel… »

L'atmosphère commence enfin à se détendre… quand on entend une énorme explosion dans l'une des salles du musée. La vigie donne aussitôt l'alerte. On imagine le pire…

« Qu'on sorte les chiens… Tentative d'évasion ! Tentative d'évasion ! Alerte rouge ! Alerte rouge ! »

Tout le campement est en émoi. Quelqu'un a-t-il pu s'échapper d'ici ? Comment est-il possible de fuir ce lieu si bien gardé ? Qui a pu oser ?

La sirène enclenchée, tout le monde s'est réuni à l'entrée de l'exposition où, au plus grand étonnement de tous, on remarque *Big Bang* qui jusque-là s'était fait oublier.

C'est une énorme bouteille de gaz recouverte de balles de plomb et juchée sur une grille. Prête à sauter !

La voilà enfin sous l'éclairage du colonel ; elle caressait ce rêve depuis si longtemps… Qu'il ait une attention ! Ça faisait un moment que *Big Bang* menaçait de se supprimer face à tant d'indifférence. Finalement, toute cette violence contenue a fini par s'exprimer. Cette œuvre kamikaze a tout simplement pété un plomb. Quelques balles ont explosé sous la pression. Les dégâts sont mineurs et ses jours ne sont pas en danger, mais la menace plane toujours et l'œuvre est à surveiller de près.

Herr Colonel pousse un gros soupir de soulagement, s'éponge le front puis retourne à son bureau sous l'œil complice de son rapace. Il sait que tout cela n'est qu'un éternel recommencement.

Alors que le jour se lève et que les gardiens du musée reprennent leur poste l'un après l'autre, tous les acteurs de *Blow Up* reprennent leur place initiale. C'est le couvre-feu. Immobiles et silencieux. Tranquilles. En apparence du moins. Ils se mettent en mode « camouflage ». Mais seulement jusqu'à la nuit prochaine.

The camp's in turmoil. Did someone manage to escape? But how could it have happened, when the place is so well guarded? Who would even have tried it?

The siren goes off, and everyone gathers at the entrance to the exhibition, where they're amazed to see *Big Bang*, which had previously gone unnoticed.

It's a big bottle of gas standing on a grid and covered in bullets. Ready to explode!

But finally it's being illuminated by the colonel, which has long been its dream. If only it could attract his attention! For some time, in the face of such indifference, *Big Bang* had been threatening to blow itself up. And all its suppressed kamikaze violence now finds expression. It erupts, and some of the bullets explode under the pressure. The damage is minor, and the danger limited; but the threat is real, and requires close monitoring.

Herr Colonel heaves a sigh of relief, mops his brow and goes back to his desk, observed by his raptor. He knows that everything's an eternal return.

As day breaks, the museum attendants are once more at their posts, and the actors in *Blow Up* are on the set. It's the curfew. Static and silent. Calm, in appearance. In "camouflage" mode. But only until tonight.

Tombé (détail / detail), 2003-2005
Tissu, paraffine, bassine en métal /
Fabric, paraffin, metal basin, 20 × 50 × 42 cm

Vue de l'expositon / Exhibition view, *Philippe Droguet Blow Up* au / at mac^LYON
Au premier plan / Foreground: *Méduse*, 2008
De gauche à droite / From left to right: *Vénus*, 2011 ; *Y-z-s-o-k-a-r*, 2005-2007 ; *Trophée C1*, 2012 ; *Fléaux*, 2001-2011 ;
Rit VIII, 2012 ; *Cadeau*, 2000-2001 ; *Rit*, 2010 ; *Tombé*, 2003-2005 ; *Rit VII*, 2012 ; *Rit IX*, 2012 ; *Rit X*, 2012

...adeau (détail / detail), 2000-2001
...aignoire, semences de tapissier, silicone /
...athtub, upholsterer tacks, silicone, 72 × 180 × 80 cm

Aurore, 2010
Caisson, coussin, paraffine / Crate, cushion, paraffin
32 × 36 × 20 cm

e de l'expositon / Exhibition view, *Philippe Droguet Blow Up* au / at mac^{LYON}

premier plan / Foreground: *Méduse*, 2008

mur / On the wall: *Aurore*, 2010

Méduse, 2008
Arbres, cure-dents / Trees, toothpicks,
215 × 253 × 150 cm environ / approx.

aux, 2001-2011
quilles d'escargots, semences de tapissier, silicone / Snails shells, upholsterer tacks, silicone,
× 100 × 70 cm environ / approx.

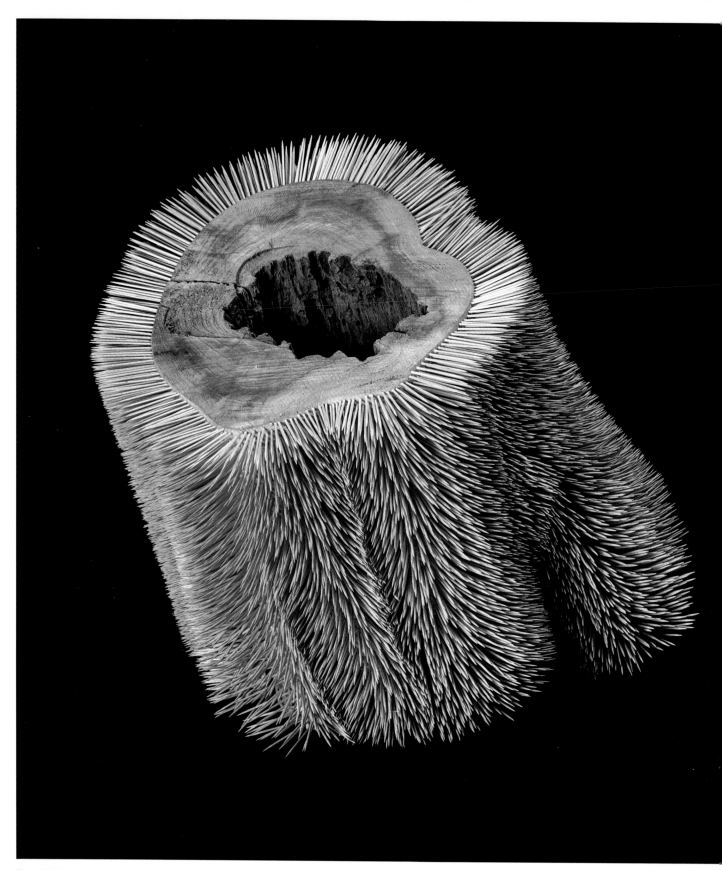

Tron-c, 2010
Tronc, cure-dents / Trunk, toothpicks,
51 × 55 × 49 cm

VII (détail / detail), 2012
mb, balles de 11,43 / Lead, .45 bullets,
x 25 x 5 cm

Entretien (détail / detail), 2000-2001
Vessies de bœuf, bureau, lampe, fauteuil, chaise, tabouret, bassine, lessiveuse, bitume /
Cow bladders, desk, lamp, armchair, chair, stool, basin, wash boiler, asphalt,
150 × 273 × 255 cm environ / approx.

Virage iconique

Dans le domaine des sciences de l'image et des sciences sociales, s'est fait jour l'idée d'un *iconic turn*, un virage fondamental de nos cultures, occidentales surtout, qui les ferait basculer dans

Iconic turn

From the sciences of the image, and the social sciences, came the idea of an "iconic turn" —a fundamental shift that was to plunge our cultures, and particularly those of the West, into

HERVÉ PERCEBOIS

PAR-DELÀ, EN-DEÇÀ, LA SURFACE / BELONG, BELOW, THE SURFACE

l'hégémonie de l'image au détriment du langage. Ainsi, nombre sont aujourd'hui ceux qui constatent la prépondérance des images dans nos sociétés modernes. Omniprésentes et profuses, les images auraient détrôné le texte dans la hiérarchie des modes de communication. Elles sont désormais produites mécaniquement, technologiquement et diffusées industriellement : photographie argentique puis numérique, cinéma, télévision, vidéo, infographie, sans oublier l'imagerie scientifique, de la représentation graphique des données à la simulation numérique, et l'imagerie médicale, de l'échographie à l'imagerie par résonance magnétique. L'intervention de la machine les démultiplie, les rend faciles, leur donne l'apparence du papier glacé et de la limpidité. Elles finissent par paraître naturelles et bénéficient du postulat de la véracité qui s'attache aux choses visuelles. Le regard est devenu le sens hégémonique, le rapport privilégié aux choses qu'adoptent les urbains. Signalétique, design des corps et publicité, mode et médiatisation spectaculaire l'emportent.

Ailleurs

Si les œuvres de Philippe Droguet sont bien des images, l'artiste est ailleurs, car il n'utilise pas les moyens qu'offre la technologie. Il choisit d'en rester au bricolage traditionnel de l'artiste, celui qui, encore dans un atelier et non dans les pérégrinations planétaires hyperconnectées, travaille le matériau. Non qu'il omette de déléguer les tâches répétitives à d'autres, ou qu'il ne sache pas que parfois la forme n'a pas besoin d'être produite, mais précisément, il lui est essentiel d'éprouver la consistance du matériau pour en extraire la forme authentique. Il introduit avec une économie précaire un doute dans le régime dominant des images. Cette incertitude transparaît dans chaque œuvre, voire dans chaque dispositif de mise en scène. Il s'agit d'un doute responsable de l'artiste sur sa propre activité, sur son résultat, les formes qu'il donne aux choses qui émergent de son imagination. Artisanalement,

the hegemony of the image to the detriment of language. The ubiquity and abundance of images in modern society has generated much comment. They have supplanted the text in the hierarchy of communicational modes. They are produced by mechanical and technological means, and distributed industrially: gelatin-silver, then digital prints, films, television, video and computer graphics, not forgetting scientific imagery, from graphical representations of data to digital simulations, and medical imagery, from ultrasound to MRI. The use of machines has led to their proliferation and facilitation, in glossiness and limpidity. They have finally assumed a certain naturalism, due to the postulate of veracity that is attached to visual things. Vision has become the dominant sense, with a special relationship to things adopted by city dwellers. Sign systems, body "design", publicity, fashion and media events are what catch the eye.

Elsewhere

If Philippe Droguet's works are images, he himself is elsewhere. He eschews the advantages of technology, relying instead on the kind of traditional artistic bricolage, with real materials, that takes place in studios, not in hyperconnected planetary peregrinations. He will delegate repetitive tasks to other people, and is aware that in some cases form does not need to be produced. But it is essential for him to get the feel of his materials if he is to extract authentic forms from them. With extremely restricted means, he introduces doubt into the ascendant regime of images, and this comes out in every work, every "staging" of a work. It is a doubt that he fully assumes with regard to his activity, his results, and the forms he gives to the offspring of his imagination. The images he produces, in artisan mode, are perplexing. They suspend the viewer between perception and signification, appearance and sense, in a commutative state of tension between seduction

il fabrique des images qui suscitent la perplexité. En maintenant le regardeur sur le fil entre perception et signification, entre apparence et sens, l'artiste le place dans une tension réversible entre la séduction et l'inquiétude, entre le plaisir visuel et la répulsion tactile, entre la certitude d'un donné à voir solide et l'interrogation d'un réel fragile ou dangereux. Car les images de Philippe Droguet sont d'abord des objets qui mettent en doute leur propre statut d'images.

Modalités

Ses œuvres, de prime abord attirantes, organiques et pour certaines charnelles, se révèlent étranges, voire menaçantes. Les formes qu'il crée relèvent de la peinture et de la sculpture, dont il ne garde que deux paramètres qui leur sont communs : la surface et l'image.

Plan de la toile pour la peinture, enveloppe ou texture pour la sculpture, la surface participe de leur continuité. Le poids, l'équilibre, le volume, la texture et la lumière pour la seconde, la surface et le recouvrement pour la première. Philippe Droguet ne choisit pas entre les deux registres, il travaille ces paramètres avec sa subjectivité propre, nouant autour de la notion centrale de « tégument » l'écheveau de ses présupposés, de ses partis pris et des conséquences formelles qui en découlent. Cette membrane singulière, organe enveloppant muni de poils, de plumes, d'épines ou d'écailles, présente la propriété d'être la seule partie visible du corps qu'elle protège et dont elle circonscrit le volume. Elle est ainsi ce qui lui donne son apparence à plus d'un titre. C'est la peau, la surface, ce qui couvre et dissimule, ce qui attire et leurre, ce qui s'affiche et simultanément soustrait au regard. Cela ne pouvait qu'intéresser l'artiste qui au premier chef est concerné par l'image, par sa production comme par sa perception.

La sculpture cependant domine dans les formes produites, peut-être parce que cet art mène l'artiste plus sûrement à incarner sa présence dans le réel –la peinture présentant la caractéristique d'un retrait distant dans le domaine de l'imagerie et de la narration. C'est aussi que le matériau est un paramètre déterminant de son art. Droguet affirmera toujours qu'il le prend par nécessité, mais il le trouve aussi pour ce qu'il a à dire et ce qu'il suscite chez le regardeur. La baignoire ou les clous de tapissier sont certes récupérables dans les décharges de notre société, ou achetables à vil

and worry, visual pleasure and tactile repulsion, the certainty of concrete perceptibility and the interrogation of a fragile or dangerous reality; because these images are objects that cast doubt on their status as images.

Modalities

Droguet's works are in the first place attractive, organic, in some cases carnal. They are strange, even threatening. The forms he creates are those of painting and sculpture, with two common features: surface and image.

Surface is inherent in continuity, with the area of the canvas (for painting), and the envelope, or texture (for sculpture). Expanse and covering for the former; weight, equilibrium, volume, texture and light for the latter. Droguet does not choose between the two registers; but he marks these parameters with his subjectivity, weaving his presuppositions and preferences, and their formal consequences, into the central notion of the "tegument". This distinctive membrane—this enveloping organ, with its hair, feathers, thorns or scales—presents the property of being the only visible part of the body whose substance it encloses, whose volume it circumscribes and whose appearance it produces, in more ways than one. Skin, as surface, is what covers and dissimulates, attracts and lures, shows itself and simultaneously slips out of sight. And this is naturally of interest to an artist whose foremost concern is the production and perception of the image.

But among the forms produced, sculpture dominates, perhaps because it more surely leads the artist to embody his presence in reality, while painting veers off into imagery and narration. There is also the fact that the materials are decisive. Droguet will always say he chooses them out of necessity; but also for what they have to say, and what they evoke in the viewer. Baths and tacks can, of course, be found in rubbish dumps, or bought in hardware shops. They allude to washing, or torture, or even crucifixion, while also recalling universal, everyday images and experiences.

Droguet uses materials that achieve certain ends, in terms of his intentions. The list is long and potentially infinite, with various textures and curious forms: metal screws, tacks, baths (and other sanitary equipment), nesting boxes, gas bottles, stockings and skewers, but also

prix dans les supermarchés du bricolage, mais ils réfèrent aussi au bain, à la torture, voire à la crucifixion. Ils suscitent aussi des rappels d'images, d'expériences vécues de tous, quotidiennement par tous.

L'artiste choisit par exemple ses matériaux pour ce qu'ils opèrent dans l'œuvre, le projet qu'il formule pour elle. La liste en est longue, disparate et potentiellement infinie, mais elle fait toute la richesse des textures et l'étrangeté des formes : les vis, les semences de tapissier, les baignoires et autres meubles sanitaires, les nichoirs, les bonbonnes de gaz, les chaussettes, les baguettes à brochettes, mais aussi les ossements d'animaux, la peinture d'autoroute ou la poudre pour cartouches de chasse. La paraffine fige un drap en plis, la semence de tapissier au lieu d'être plantée adhère à la surface et présente sa pointe acérée au spectateur, l'écorce de l'arbre, peau parmi les peaux, se voit elle-même protégée d'une couche de paraffine délicatement passée au pinceau... Pourvu que le matériau puisse exprimer quelques propriétés du tégument. Dans l'œuvre de l'artiste, il s'incarnait autrefois dans la vessie animale, de bœuf le plus souvent, parce qu'il s'agit d'un matériau organique. La vessie intéressait l'artiste pour sa ressemblance avec la peau, pour son statut de produit industriel et pour sa capacité à donner forme à la matière qui venait l'emplir. On en retrouve le souvenir dans *Battes*, pièce dans laquelle la plasticité du plâtre coulé dans des chaussettes donne par gravité sa forme spécifique à chaque objet.

Droguet joue du volume, de la surface et du matériau pour explorer incessamment la visibilité et la latence des choses. L'albâtre est paraffine. La poudre à munitions devient pigment. Le matériau n'est pas seulement ce dont on extrait la forme, mais une unité sémantique choisie, sa signification. Il en déplace les points d'achoppement, comme il le fait de la distinction entre statuaire et ornement. La première réfère au corps, le second au décor et en cela à la superficialité des formes. En réalité, Philippe Droguet est inquiet de la chair sous la peau, de ce qui précisément fait corps.

S'il ne fait pas de statues, nombre de ses œuvres occupent l'espace d'une même présence de corps dressés, sans être pour autant des figures. Selon les cas, l'enveloppe donne sa forme au volume, ou bien l'épouse par recouvrement. Dans *Battes*, des chaussettes reçoivent une coulée de matière qui en les emplissant engendre des jambes absentes.

animal bones, road paint and gunpowder. Paraffin wax solidifies a sheet; tacks are not hammered into something, but stuck to a surface, pointing at the viewer; tree bark, that skin of skins, is also protected by a layer of paraffin wax, delicately brushed on. Some properties of the tegument always have to be present. In Droguet's work, this has taken the form of animal (usually cow) bladders, because they are organic. They interest him on account of their resemblance to skin, their status as an industrial product and the way they give form to that which fills them. And this comes back as a reminiscence in *Battes* ("Bats"), where the effect of gravity on the plasticity of the plaster that was poured into the stockings is what confers on them their specific forms.

Droguet uses volume, surface and material in his ceaseless exploration of visibility and latency. Paraffin wax is alabaster. Gunpowder is a pigment. Material is not just something from which to extract form, but a chosen semantic unity; its signification. The material displaces obstacles, along with the distinction between statuary and ornament. The former refers to the body, the second to the decor, and by the same token the superficiality of form. In reality, Droguet is uneasy about the flesh beneath the skin, and that which, precisely, constitutes a body.

Though Droguet does not make statues, a number of his works, if not exactly figures, occupy a similar space of the presence of upright bodies. Depending on the case, the envelope gives its form to the volume, or espouses it by covering it. The stockings in *Battes* have had matter poured into them, creating absent legs. Piled up or separated, it is the bodies that end up missing. In *Cadeau* ("Gift", "Present"), on the other hand, tacks cover the interior of a bath like silky fur. The body is what inhabits the envelope. The body of the object, but also a body that could have been rolled up in the object.

Ornament expresses, participates in, the same ambiguity. Smooth, shiny surfaces, hard yet tender materials, textures that attract, reflect or absorb light, compose a seduction. They are jewels, beautiful objects, glittering metal, wood or paint, folds, pleats, marmoreal breasts, diaphanous cushions. They occupy the dividing line between perception and consciousness, the image and the real body: that of the subject and that of the object.

Elles sont empilées ou disposées seules dans l'espace ; ce sont les corps qui finissent par manquer. Dans *Cadeau*, en revanche, les semences de tapissier couvrent d'une fourrure soyeuse le fond d'une baignoire. Le corps est alors ce qui habite l'enveloppe. Corps de l'objet mais aussi corps qui aurait pu se pelotonner dans l'objet.

L'ornement souligne la même ambiguïté, y participe. Les surfaces lisses et chatoyantes, les matières dures et pourtant moelleuses, les textures qui accrochent, réfléchissent ou absorbent la lumière, composent une séduction. Ce ne sont que bijoux, beaux objets, moirures de métal, de bois ou de peinture, drapés, plis, seins marmoréens, coussins à la texture diaphane. Les œuvres s'installent ainsi sur le fil entre perception et conscience, image et corps réel, celui du sujet et celui de l'objet.

Sources, liens et références

Les œuvres de Philippe Droguet ne renvoient à rien, car elles sont avant tout présence. Elles sont comme la licorne. Du jamais vu. Mais à la différence de l'animal fabuleux, elles sont là, leur propre référent iconique, vraies. Au-delà de cette présence cependant, au regard habitué les sources abondent. Car les œuvres sont pétries de mémoire visuelle, d'histoire de l'art et d'histoire tout court. Elles éveillent entre autres et, en désordre, les images des pratiques gestapistes, de la sculpture hellénistique, de l'urbanisme sériel des banlieues, de Niki de Saint-Phalle ou Frank Stella, les représentations du virus du sida, Man Ray ou Louise Bourgeois, des camps de la mort… Jamais, cependant, ces liens n'apparaissent explicites, et pourtant ils sont, restent toujours évidents.

À regarder les *Tombés*, il vient par exemple à l'esprit certains aspects de la sculpture hellénistique, dans laquelle le drapé et le voile mouillé jouent le rôle de rendre visible ce qui ne l'est pas, mais plus encore, de dévoiler ce qui précisément doit être caché, interdit au regard. La paraffine fige le drap dans un moment qui ne laisse rien au temps. Ce qui donne vie dans la sculpture grecque prend ici la couleur du linceul. Le pli s'arrête. Que l'on songe aux représentations d'Aphrodite, des Néréides, de Niké ou des Aurai, voire que l'on s'interroge sur le voile de la mariée. « Voilée ou dévoilée, la mariée avant tout exhibe son voile[1]. » Les tissus plissés prennent chez Philippe Droguet l'apparence de tripailles jetées au sol ou dans une cuvette d'abattoir. La beauté classique et la

Sources, connections and references

Droguet's works do not connote anything, because they are really presence. They are like the unicorn. Such as has never been seen. But unlike the mythical animal, they are present as their true iconic referent. Beyond this presence, however, for the informed eye the sources are there. Because the works are suffused with visual memory, art history; history as such. They awaken, among others, and in no particular order, images of Gestapo methods, Hellenistic sculpture, the serial urbanism of the suburbs, Niki de Saint Phalle, Frank Stella, representations of the AIDS virus, Man Ray, Louise Bourgeois, the death camps… These connections are always evident, never explicit.

Looking at *Tombés* (a reference to the way a garment "hangs"), some aspects of Hellenistic sculpture come to mind, with the drapings and the permeated veil making the invisible visible; but also revealing that which, precisely, is supposed to be hidden, banished from sight. The paraffin wax freezes the folds at an instant that leaves nothing to time. What injected life into Greek sculpture takes on the colour of a shroud. The fold stands still. One might recall representations of Aphrodite, the Nereids, Nike or the Aurai, or the bridal veil. "Veiled or unveiled, the bride, above all, exhibits her veil."[1] The folded cloth adopts the appearance of entrails thrown onto the ground, or into a basin in an abattoir. Classical beauty and butchery are juxtaposed, inextricable. There is nothing sacred in these sculptures, as confirmed by the materials; but a desire for transcendence, certainly. *Big Bang*, whose hieratic form is made up of a gas bottle covered in flakes of munitions, and exposed like the statue of a god in a temple, is numinous, with its flashes of light and its mass; not enough to crush the viewer, but enough to convey an understanding of the need for absoluteness. The fact that Droguet uses industrial objects means that there are references (sometimes excessive) to the ready-made. In reality, he creates retinal art, and although he is fully aware of his predecessors' forms, there is nothing of the Duchampian semiotic reduction in his work, or at most a possible icon of sculpture. More latent, perhaps, precisely because of its contradiction with the shimmer and organicism of the forms, is the likeness to minimalism, and certain forms of

1. Voir l'intéressant article de Françoise Frontisi-Ducroux, « Comme un rêve de pierre », in *Ouvrir Couvrir*, Lagrasse, Éditions Verdier, 2004, p. 9-40 [p. 27].

1. See Françoise Frontisi-Ducroux's interesting article, "Comme un rêve de pierre", in *Ouvrir Couvrir*, Lagrasse, Éditions Verdier, 2004, p. 9-40 [p. 27] (this translation by John Doherty).

boucherie s'y côtoient, s'y mêlent inextricablement. Il n'y a rien de sacré dans ses sculptures, le matériau l'affirme suffisamment, mais un désir de transcendance, certainement. *Big Bang*, forme hiératique d'une bouteille de gaz couverte d'écailles en munitions, exposée comme le serait la statue d'un dieu dans un temple, domine de ses feux et de sa masse le spectateur, juste ce qu'il faut pour ne pas l'écraser, mais assez pourtant pour que l'on comprenne le besoin d'absolu. Parce qu'il utilise quelquefois des objets industriellement fabriqués, la référence au ready-made, par trop fréquente dès que l'objet manufacturé est employé, est évidemment invoquée. Philippe Droguet choisit en réalité de faire un art rétinien, et s'il n'ignore pas les formes de ses prédécesseurs, rien ne renvoie dans ses œuvres à la réduction sémiotique duchampienne, sinon juste l'icone de sculpture possible. Plus latente peut-être, parce que précisément contredite par le chatoiement et l'organicité des formes, est la référence à l'art minimal et à certaines formes de l'art américain. On pense à Eva Hesse, ou à Bruce Nauman, à Richard Serra également ; en France, il y aurait Toni Grand. La mise en situation des œuvres de Droguet n'est pas sans faire appel, évidemment, à cette culture de l'espace. Ce qu'il appelle la mise en tension de ses sculptures dans le contexte de leur exposition crée aussi la distance nécessaire pour que le regardeur s'interroge. Philippe Droguet ne laisse rien au hasard : intervalle entre les œuvres, blanc du mur, lumière, composent autant que les objets eux-mêmes et contribuent à une poétique de la matière que les techniques employées affirment déjà. À la façon d'une rose, telle conque marine se hérisse de poils acérés. Placée à proximité de *Ça*, elle réagit à la texture nervurée d'une écorce couverte de sa peau paraffinée et douce. *Vénus* dialogue avec *Méduse*, *Aurore* donne le contrepoint à *Rit*. Cet écheveau de liens s'étend jusqu'aux titres. Il n'y a pas forcément à dire de *Rit*, qui est le verlan de « tir », l'indication du procédé, ou de *Vectan*, qui n'est que la marque de la poudre à munitions utilisée. Il n'en est pas de même d'*Entretien*, *Cadeau*, *Big Bang* ou *Couvre-feu*, voire de *Marine*, titres qui tous indiquent quelque chose de l'intention de l'artiste. Le procédé n'est pas à chaque fois le même. Ces titres peuvent relever d'un humour grinçant (*Big Bang*), orienter le regard pour une révélation (*Marine*) ou le perdre par un retardement (*Entretien*), décrire l'œuvre

American art. There is Eva Hesse, Bruce Nauman and Richard Serra; and also, in France, Toni Grand. And the presentation of Droguet's works does not, of course, neglect a certain culture of space. What he calls the "tensioning" of his sculptures in the context of their exhibition also creates the distance required by viewers to question themselves. He leaves nothing to chance. Intervals between works, light, the whiteness of the walls: these are as active as objects themselves, and they contribute to a prosody of materials that is already there in the techniques he uses. A conch sprouts thorns, like a rose. Placed beside *Ça*, it reacts to the ribbed texture of tree bark covered with a soft wax skin. *Vénus* dialogues with *Méduse*; *Aurore* ("Dawn") stands in counterpoint to *Rit* (the reverse of "tir"—French for a gunshot). And these links also apply to the titles. It is unnecessary to give the origin of *Rit*, or that of *Vectan*, which is simply the name of the gunpowder used in the composition of the work. But the same is not true of *Entretien* ("Interview"), *Cadeau*, *Big Bang*, *Couvre-feu* ("Curfew"), or indeed *Marine*, all of which indicate something about the artist's volition. The procedure is not the same each time. A title can be humorous (*Big Bang*) or revealing (*Marine*). It can render an epiphany unattainable through a delaying tactic, describe a particular work (*Black Cuve*), or hint at another (*Cadeau*).

Droguet's works, in sum, are characterised by constant oscillations between the surface and what underlies it; between image and depth. They gravitate around the certainty that beyond the appearances there is another reality which asks only to be unveiled so that one can look below the surface.

The surface, subject to doubt

Droguet continually probes, qualifies, tests surface. For him it is a membrane across which exchanges and traversals can take place, but also epidermal layers of appearance and tactility. From sculpture he takes something haptic, and from painting a certain optical quality. Surface also extends like the plane of the image, the place where the visual phenomenon appears; a particular location between matter and mind, physicality and thought. He would no doubt subscribe to Georges Didi-Huberman's words: "There is a

Fossiles, 1996-98
Vessies de boeuf, plâtre / Cow bladders, plaster, l'ensemble : 350 cm de diamètre environ, chaque élément : de 12 à 20 cm
de diamètre chaque / the installation : 350 cm diameter approx., each element : between 12 and 20 cm diameter
Vue de l'expositon / Exhibition view, *Animaux, animaux* à / at l'orangerie du Parc de la Tête d'Or, 2005

elle-même (*Black Cuve*), appeler le souvenir d'une autre (*Cadeau*).

Il y a ainsi, dans les œuvres de l'artiste, des allers et retours constants entre la surface et le sous-jacent, l'image et la profondeur. L'œuvre tourne autour de cette certitude qu'il y a, par-delà l'apparence, une autre réalité qui ne demande qu'à être dévoilée pour peu que l'on interroge l'au-delà de la surface.

La surface soumise au doute

La surface, Philippe Droguet ne cesse de l'approfondir, de la nuancer, de l'éprouver. Elle s'entend pour lui comme membrane qui implique l'échange et le passage, mais aussi comme épiderme, comme apparence et comme tactilité. Il prend à la sculpture ce qu'elle peut avoir d'haptique et à la peinture ce qu'elle peut avoir d'optique. La surface s'entend

form of knowledge that pre-exists any approach to, any reception of images. But something interesting happens when our pre-existing knowledge, formatted into established categories, is momentarily taken apart—which starts at the point where the image appears."[2] This is precisely what Droguet wants to act on, what concerns him: the real role of the membrane (the tegument), both material and immaterial, through which every exchange between the real and the symbolic, matter and mind, takes place. He works on it in every possible way, forcing it to react—with *Rit*, for example, or (*1-2-3*)—while grasping it in all of its incredible versatility, with *Pain* ("Block", or "Slap", or, indeed, "Pain"), or *Cadeau*. As we know, an image is made up of code, and code was made to be manipulated. It distances reality as much as bringing it closer.

2. Georges Didi-Huberman, « La condition des images », *in* Marc Augé, Georges Didi-Huberman and Umberto Eco, *L'expérience des images*, Bry-sur-Marne, INA éditions, 2011, p. 81-107 [p. 83] (this translation by John Doherty).

aussi comme plan de l'image, l'endroit où le phénomène visuel apparaît, cette localisation particulière entre matière et mental, entre physique et pensée. L'artiste pourrait faire siens les mots de Georges Didi-Huberman : « Il y a un savoir qui préexiste à toute approche, à toute réception des images. Mais il se passe quelque chose d'intéressant lorsque notre savoir préalable, pétri de catégories toutes faites, est mis en pièces pour un moment – qui commence avec l'instant où l'image apparaît[2]. » C'est précisément ce que Philippe Droguet souhaite toucher, ce qui le préoccupe, le rôle réel de cette membrane (le tégument), à la fois immatérielle et matérielle, par laquelle transitent tous les échanges entre le réel et le symbolique, la matière et le sens. Il la travaille par tous les moyens, la fait réagir – *Rit* ou *(1-2-3)* – ou la saisit dans son incroyable versatilité (*Pain*, *Cadeau*). On sait que l'image est faite de codes et qu'un code est fait pour être manipulé. Il distancie du réel autant qu'il en rapproche. Philippe Droguet doute, cherche l'authenticité de ses images parce qu'il sait que les images mentent. Si elles nous mentent, c'est qu'elles sont faites pour cela. Comme tous les codes, elles servent à révéler, à reconstruire le réel, autant qu'elles le dissimulent, le subvertissent et le font échapper à l'intelligibilité. Face à cela, les œuvres de l'artiste sont des actes.

Actes d'images

Philippe Droguet a une conscience aiguisée de la responsabilité de celui qui fabrique des images. L'art pour lui ne peut être autre chose qu'un ensemble d'actes longtemps mûris avant d'être perpétrés. Rien n'est gratuit. Les images ont un pouvoir sur le corps et l'esprit. C'est pourquoi il faut soumettre au doute le tégument, l'image. Cette conviction forte concerne aussi bien ce que les sociétés font de l'apparence et de la chair des corps que chaque conscience intime d'habiter une enveloppe qui ne peut être quittée. Chaque œuvre s'inscrit dans une logique purement visuelle. Elle est « proférée » comme un acte d'image (comme il y a des actes de langage). Même si force nous est d'utiliser le verbe pour approcher les mécanismes de l'image, la résonance de l'œuvre n'est pas dans le logos mais dans le monde.

Ainsi *Cadeau* déjoue-t-il très rapidement la première impression. De prime abord, une baignoire au fond habillé de fourrure invite à se lover en son sein, qui, cependant, met à distance le

2. Georges Didi-Huberman, « La condition des images », *in* Marc Augé, Georges Didi-Huberman et Umberto Eco, *L'expérience des images*, Bry-sur-Marne, INA éditions, 2011, p. 81-107 [p. 83].

Droguet doubts, and seeks authenticity in his images, because he knows that images lie, and that they do so because they were intended to do so. Like all codes, they reveal and reconstruct reality as much as they hide it. They subvert it and render it unintelligible. In reaction to this, Droguet's works are actions.

Acts of image

This is an artist who is acutely sensitive to the responsibility borne by producers of images. For him, art is an ensemble of acts that were lengthily planned before being implemented. Nothing is gratuitous. Images exercise power over the body and the mind. Which is why the tegument, the image, must be looked at sceptically. And this strong conviction concerns not only what society does with the appearance and substance of bodies, but also an intimate awareness of inhabiting a volume that cannot be escaped from. Each work partakes of a purely visual logic. It is offered as an "act of image" (in the same way that there are acts of language). We have to use words to investigate the mechanisms of the image. The resonance of the work is not in the logos, but in the world.

Cadeau undermines first impressions. As soon as one gets close to the bath, its invitingly furry interior turns out to be composed of steely, aggressive spikes. The artist intends this dual attraction-repulsion to instil a doubt as to appearance and reality. *Fléaux* ("Plagues"), which suggests a sea urchin, is a ball of barbs, like potential projectiles; *Sirènes* ("Mermaids"), a sumptuous shell with sexual overtones, is unapproachable. But this game of appearances does not just involve a harsh world beyond surfaces; it also takes the form of an epidermis on the surface of which texture and light are everywhere. Fur and thorns, but also the diaphanous paraffin wax surface of *Tombés*, *Vénus* or *Ça*, the gleam of *Big Bang*, the sophisticated patina, blue or green, or iridescent, of *Trophées* ("Trophies") and *Pain* . There is always a hint of déjà vu, a visual remanence, an association of ideas and experiences accompanied by a modification of our visual habits, and new possibilities. It arises without the mediation of words, or discursive interpretation. It would be pointless to expound on the nesting boxes of *Couvre-feu*, or the true nature of *Big Bang*. What you see is what you see; but what you see is made

spectateur dès lors qu'il s'approche, avec ses pointes d'acier hérissées, agressives et presque tranchantes. L'artiste espère, par le mouvement double d'attraction-répulsion qu'il provoque, susciter chez le spectateur un doute quant à l'apparence et à la réalité des choses. Telle boule hérissée d'épines, évoquant l'oursin (*Fléaux*), s'accumule en tas comme des armes de jet potentielles, tel coquillage somptueux aux résonances sexuelles s'avère inapprochable (*Sirènes*). Mais ce jeu des apparences ne concerne pas seulement un au-delà de la surface qui serait cruel. Il prend également la forme d'un épiderme à la surface duquel tout est texture et lumière. Pelage et épines, mais aussi surface diaphane de la paraffine dans les *Tombés*, *Vénus* ou *Ça*, chatoiement de *Big Bang*, patine sophistiquée bleue ou verte ou même irisée de *Trophées* et de *Pain*. Dans tous les cas, l'œuvre ne manque pas d'appeler du déjà vu, de susciter une réminiscence visuelle, de provoquer des associations d'idées, d'expériences, tandis qu'elle modifie aussi nos habitudes visuelles, offre des possibles nouveaux. Elle le fait sans passer par le mot, sans susciter une description verbale, sans appeler l'interprétation discursive. Inutile de mettre en discours les nichoirs de *Couvre-feu*, ou de préciser la nature réelle de *Big Bang*. Ce que vous voyez est bien ce que vous voyez ; mais ce que vous voyez se construit des expériences visuelles déjà vécues et qui forgent votre regard sur le monde. Philippe Droguet en introduit de nouvelles avec l'intention d'infléchir les consciences. Il ne peut en réalité y avoir d'autre logique que visuelle pour répondre à ses actes d'images. Ils sont eux-mêmes une contribution à des échanges purement visuels, iconiques ou non, puisant dans l'univers symbolique ou dans le monde réel. Ils s'inscrivent dans le continuum qui nous relie aux choses, au réel, un réel fait d'images autant que de choses.

up of visual experiences that determine the way you look at the world. Philippe Droguet invents new ways of doing so, with a view to acting on consciousness. And the logic of his acts of image cannot be other than visual. They contribute to purely visual exchanges, iconic or not, that draw on symbolism or the real world. They take their place in the continuum that connects us up to things, to reality—a reality made of images as much as things.

Couvre-feu (détail/detail), 2013
119 nids en bois, ardoise, craie / 119 wooden nests, slate, chalk, 28 × 80 × 930 cm et/and 15 × 20 cm

Big Bang, 2011
Bouteille de gaz, silicone, balles de plomb, caillebotis
en acier galvanisé / Gas cylinder, silicone, lead bullets,
galvanized steel gratings, 197 × 200 × 200 cm

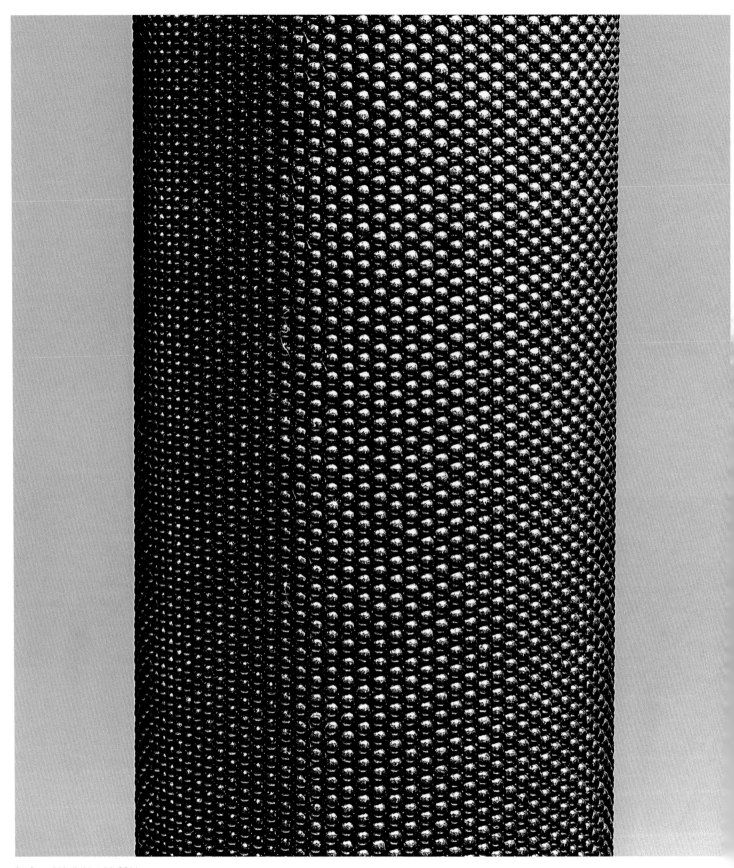

Big Bang (détails / details), 2011
Bouteille de gaz, silicone, balles de plomb, caillebotis en acier galvanisé /
Gas cylinder, silicone, lead bullets, galvanized steel gratings, 197 × 200 × 200 cm

Vue de l'expositon / Exhibition view, *Philippe Droguet Blow Up* au / at mac^LYON
premier plan à l'arrière-plan / From foreground to background :
...mbés, 2003-2005 ; *The Black Cuve*, 2008 ; *Vectan*, 2012

Entretien (détail / detail), 2000-2001
Vessies de bœuf, bureau, lampe, fauteuil, chaise, tabouret, bassine, lessiveuse, bitume /
Cow bladders, desk, lamp, armchair, chair, stool, basin, wash boiler, asphalt,
150 × 273 × 255 cm environ / approx.

The Black Cuve (détail / detail), 2008
Baignoire, silicone, semences de tapissier /
Bathtub, silicone, upholsterer tacks, 69 x 180 x 84 cm

(détail / detail), 2009
orce, paraffine / Bark, paraffin,
× 204 × 80 cm

Vue de l'expositon / Exhibition view, *Philippe Droguet Blow Up* au / at mac^{LYON}
Au premier plan / Foreground: *Ça*, 2012
Au second plan / Background: *Sirène*, 2006 et *Sirènes*, 2001

...rine, 2003-2005
...âne de renard sur branche, cure-dents, plâtre /
... skull on branch, toothpicks, plaster, 170 × 70 × 140 cm [avec socle / with plinth]

Dard (Virgule), 2010
Corne, silicone, vis, peinture /
Horn, silicone, screws, paint, 8 × 50 × 37 cm

Sinus, 2011
Coussins, paraffine / Cushions, paraffin
... × 100 × 80 cm

W, 2009
/C, silicone, semences de tapissier, coussin / WC, silicone,
pholsterer tacks, cushion, 40 x 40 x 35 cm

Vue de l'expositon / Exhibition view, *Philippe Droguet Blow Up* au / at mac^{LYON}
De gauche à droite / From left to right : *CW*, 2009 ; *Battes*, 2012 ; *Couvre-Feu*, 2013 ;
Marine, 2003-2005 ; *Rit VIII*, 2012 ; *Dard (Virgule)*, 2010

Trophées (A1-A2-A3), 2012
Bronzes à cire perdue à patine outremer/
Lost-wax bronzes with navy-blue patina, 18 x 15 x 22 cm chaque/each

Vue de l'expositon / Exhibition view, *Philippe Droguet Blow Up* au / at mac^{LYON}
Au premier plan / Foreground : *Marine*, 2003-2005
Au second plan / Background : *Vectan*, 2012

...tan (détail / detail), 2012
...udre noire sur double-face moquette sur toile / Black powder
...double-sided carpet tape on canvas, 300 × 150 × 3 cm chaque / each

Battes (détail / detail), 2012
Chaussettes, bois, plâtre / Socks, wood, plaster,
dimensions variables / variable dimensions

Tombé, 2003-2005
Tissu, paraffine, bassine en métal /
Fabric, paraffin, metal basin, 20 x 50 x 42 cm

...tan, 2012
...dre noire sur double-face moquette sur toile /
...k powder on double-sided carpet tape on canvas,
... × 150 × 3 cm chaque / each

Vue de l'expositon / Exhibition view, *Philippe Droguet Blow Up* au / at mac^{LYON}
Au premier plan / Foreground : *Cadeau*, 2000-2001
Au second plan / Background : *Tombé*, 2003-2005

Double page suivante / Following double page :
Pain (détail / detail), 2010
Plomb / Lead, 50 x 50 x 5 cm

99

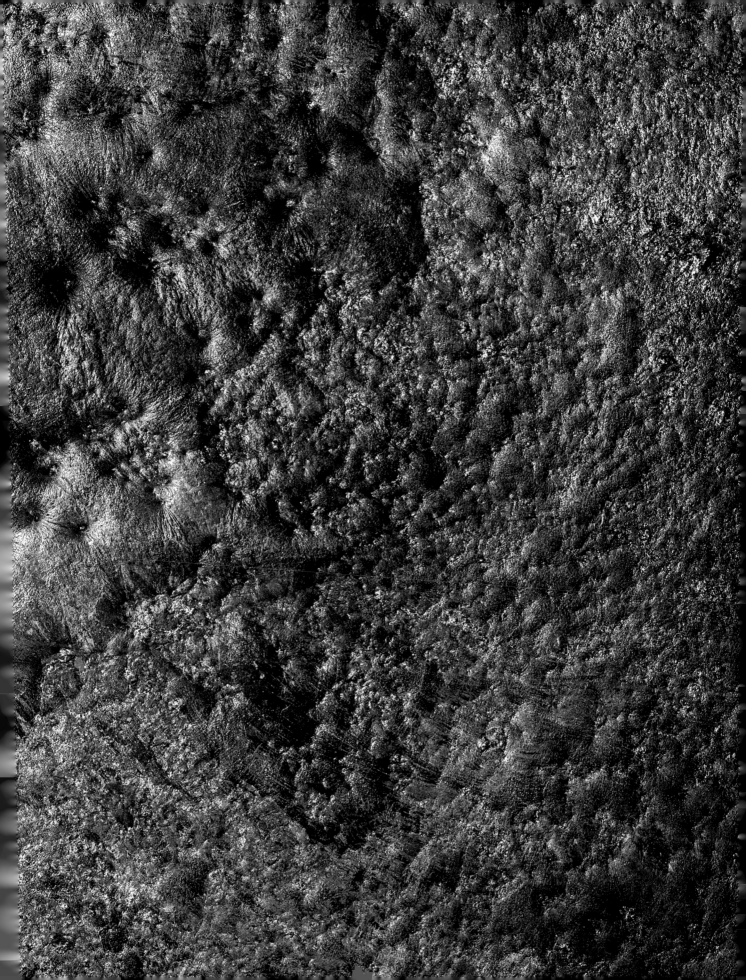

LISTE DES ŒUVRES EXPOSÉES /
EXHIBITION CHECKLIST

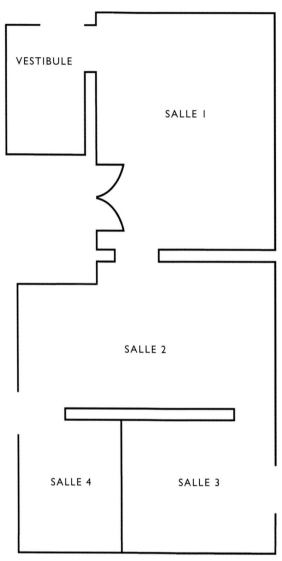

VESTIBULE

SALLE 1

SALLE 2

SALLE 4

SALLE 3

Plan de l'exposition, au premier étage du Musée d'art
contemporain de Lyon, surface : 300 m² environ /
Exhibition map, first floor of the Lyon Museum
of Contemporary Art, surface : 300 m² approx.

BIOGRAPHIE/
BIOGRAPHY

BIBLIOGRAPHIE/
BIBLIOGRAPHY

Philippe Droguet est né en 1967
à Roussillon, Isère.
Il vit et travaille à Feillens (Ain, France).
Diplômé de l'École des beaux-arts de Mâcon.
Représenté par la galerie Pietro Spartà,
Chagny (France).
Philippe Droguet was born in 1967
in Roussillon, Isère.
He lives and works in Feillens (Ain, France).
Graduate of the School of Fine Arts
of Mâcon.
Represented by the Pietro Spartà Gallery,
Chagny (France).

Expositions personnelles | Solo exhibitions

2013
Blow Up, Musée d'art contemporain,
Lyon, France
2012
Witness, galerie Pietro Spartà, Chagny,
France
2006
Matière à doute, Centre d'art contemporain
de Lacoux, Hauteville-Lompnes, France
2004
Vestiaire, galerie du Tableau, Marseille, France
1999
Et trophées, Le Pez-Ner, Villeurbanne, France
Transhumance, AAAc Recologne-lès-Ray,
Espace Cotin, Lure, France
1998
Intra-muros, Le Numéro Sept, Mâcon, France
Extrait, château de Taurines, Centrès, France
1997
Fossiles, galerie L°, Saint-Étienne, France

Expositions collectives | Group shows

2012
Se souvenir de la mer, domaine départemental
du Château d'Avignon, Les Saintes-Maries-
de-la-Mer, France
FIAC, galerie Pietro Spartà, Paris, France
Art Brussels, galerie Pietro Spartà, Bruxelles,
Belgique
2011
FIAC, galerie Pietro Spartà, Paris, France
2010
Art Brussels, galerie Pietro Spartà, Bruxelles,
Belgique

2009
Art Brussels, galerie Pietro Spartà, Bruxelles,
Belgique
FIAC, galerie Pietro Spartà, Paris, France
2008
Fage éditions, Temps de pause, galerie
Annie Lagier, L'Isle-sur-la-Sorgue
FIAC, galerie Pietro Spartà, Paris, France
Art Brussels, galerie Pietro Spartà, Bruxelles,
Belgique
2007
Résurrection, Veduta-Biennale de Lyon, Musée
urbain Tony Garnier, Lyon, France
Merveilleux! D'après nature, château de
Malbrouck, Manderen, Luxembourg
Art Brussels, galerie Pietro Spartà, Bruxelles,
Belgique
2005
Animaux… Animaux, orangerie du parc
de la Tête d'or, mac^{LYON}, Lyon, France
2004
Bloody Mary, Aperto, Montpellier, France
2001
Collection de l'artiste, musée des Ursulines,
Mâcon, France
1999
Ô saisons, ô châteaux!, musée des Ursulines,
Mâcon, France
Konvers, Künstlerbund, Speyer, Allemagne
Comme des bêtes, Villaine-en-Duesmois, France
Les paradoxes du réel, la réalité des utopies,
Mücsarnok, Budapest, Hongrie
1998
Supplément d'âme, musée de la Mine,
Saint-Étienne, France
Les paradoxes du réel, la réalité des utopies,
galerie Zachęta, Varsovie, Pologne
L'art sur la place, Biennale d'art contemporain,
Lyon, France
1996
G7 Création, Musée d'art contemporain,
Lyon, France
1995
Salon de La Jeune Peinture,
espace Eiffel-Branly, Paris, France
1994
Salon de La Jeune Peinture,
espace Eiffel-Branly, Paris, France

2013
Philippe Droguet, Blow Up, Anne Bertrand,
    Anaïd Demir, Hervé Percebois, Thierry
    Raspail, Musée d'art contemporain de Lyon,
    Lienart éditions

2009
Collection, Musée d'art contemporain de Lyon,
    5 continents

2006
Matière à doute, Philippe Droguet,
    Anne Bertrand, Philippe Grand,
    Fage Éditions, coll. «Varia»

2001
*L'art contemporain: champs artistiques,
    critères, réception*, Actes du colloque
    «L'Art sur la place», Musée d'art
    contemporain de Lyon, L'Harmattan

1999
Jean-Paul Mauny, «La matière incarnée»,
    in catalogue d'exposition *Transhumance*,
    AAAc, Lure
Yves-Michel Bernard, in catalogue d'exposition
    Ô saisons, ô châteaux!, musée des Ursulines,
    Mâcon

1998
Yves-Michel Bernard, in catalogue d'exposition
    Les paradoxes du réel, la réalité des utopies,
    galerie Zachęta, Varsovie (Pologne)
Philippe Grand, «Vrac pour Philippe Droguet»,
    in catalogue d'exposition *Extrait*, château
    de Taurines, Centrès

Vectan (détail / detail), 2012
Poudre noire sur double-face moquette sur toile /
Black powder on double-sided carpet tape on canvas,
300 x 150 x 3 cm chaque / each

L'équipe du Musée d'art contemporain de Lyon, l'exposition
The Lyon Museum of Contemporary Art, exhibition staff

Cet ouvrage est publié à l'occasion de l'exposition *Philippe Droguet Blow Up* présentée au Musée d'art contemporain de Lyon du 25 mai au 21 juillet 2013.

Published on the occasion of the exhibition Philippe Droguet Blow Up, *presented at the Lyon Museum of Contemporary Art, from May 25 to July 21 2013.*

Commissaire général | *General curator*
Thierry Raspail

Coordination générale | *Exhibition manager*
Hervé Percebois

Chargée d'exposition | *Assistant curator*
Olivia Gaultier

Régisseurs | *Registrars*
Xavier Jullien, Gaëlle Philippe

L'équipe du Musée d'art contemporain de Lyon
The team of the Lyon Museum of Contemporary Art

La direction | *Direction*
Directeur | *Director*
Thierry Raspail
Assisté de | *Assisted by* Françoise Haon
Direction de production | *Production manager*
Thierry Prat
Secrétariat général | *Secretary-general*
François-Régis Charrié

La collection et la documentation |
Collection and documentation
Responsable collection et documentation |
Head of the collection and the documentation department
Hervé Percebois
Régisseur collection | *Registrar for collection*
Gaëlle Philippe
Iconographe | *Iconographer*
Estelle Cherfils

Documentaliste | *Archivist*
Anne-Marie Reynaud

Les expositions | *Exhibitions*
Responsable d'exposition | *Head of the exhibitions department*
Isabelle Bertolotti
Chargées d'exposition | *Assistant curators*
Olivia Gaultier, Marilou Laneuville
Régisseur d'exposition | *Registrar for exhibitions*
Xavier Jullien

La communication | *Press office*
Responsable de la communication |
Head of the press office
Muriel Jaby
Chargée de communication |
Communication assistant
Élise Vion-Delphin
Réseaux professionnels et site Internet |
Professional relations and webmaster
Karel Cioffi

Le service des publics | *Education*
Responsable du service des publics |
Head of the education department
Isabelle Guédel
Programmation culturelle | *Cultural events*
Patricia Creveaux
Actions culturelles | *Cultural projects*
Régis Gire
Médiation culturelle | *Educational projects*
Fanny Thaller
Chargée des réservations | *Education department assistant*
Cécile Faÿsse

La médiation | *Mediation team*
Amandine Bonnassieux
Emmanuelle Coqueray
Virginie Duthil
Muriel Joya
Guillaume Perez
Fanny Ventre

L'administration | *Administration*
Responsable administratif | *Head of the administration department*
Catherine Zoldan
Comptables | *Accountants*
Isabelle Genevrier, Évelyne Satin

(1-2-3) (détail / detail), 2008
Peinture réfléchissante pour enrobé /
Reflective paint for bituminous mix,
195 × 395 × 3,5 cm

Assistante ressources humaines | *Human resources assistant*
Monique Renard
Chargée d'accueil | *Receptionist*
Danielle Gené
Coursier | *Messenger*
Yves Blanchard

L'équipe technique | *Technical staff*
Responsable technique | *Head of the technical staff*
Olivier Emeraud
Régie technique | *Technical service*
Samir Ferria
Chef d'équipe maintenance et sécurité | *Head of maintenance and security staff*
Didier Sabatier assisté de | *assisted by*
Frédéric Valentin
Vidéo | *Video*
Georges Benguigui
Menuisiers | *Carpenters*
Joël Coffinet, Franck Segura
Électricien-éclairagiste | *Electrician*
Didier Fabrer
Magasinier | *Storekeeper*
Pascal Watrigant
Opérateurs techniques et sécurité du bâtiment | *Technical operators*
Serge Dalleau, Pascal Rohr, Frédéric Valentin
Agent d'entretien | *Maintenance*
Élisabeth Vican

Le montage de l'exposition | *Installation*
Frédéric Bauby
Pierre Bonnouvrier
Karine Delerba
Outhman Djibril
Pascal Gabaud
Anne-Lyse Gaudet
Sylvain Guibbert
Flavien Hérouard
Karim Kal
Yann Lévy
Salim Mohammedi
Rodolphe Montet
Laurent Morati
Ludovic Paquelier
Mérys Piégay

Damir Radovic
Fiorella Scarabino
Julie Sorrel
Bruno Spay
Benoît Stéfani
Johann Thoumazeau
Nan Wang

L'accueil | *Reception staff*
Responsable accueil | *Head of reception staff*
Christine Garcia-Pedroso
Gardiens | *Attendants*
Dounia Adda-Bennekrouf
Chantal Alcalde
Didier Apaydin
Maria Arquillière
Stéfania Baldizzone
Maÿlis Belhoula
Marie-Claude Bellion
Eryck Belmont
Lucas Bertolotti
Alexandre Chataigner
Sabine Courbière
Philippe Demares
Outhman Djibril
Chloé Fillion
John Foursin
Katarina Ho Van Ba
Jean-Pierre Lobo
Noël Maurin
Aymeric Raffin
Amandine Rué
Aurélien Spécogna
Migléna Thomasset

Les stagiaires | *Students support*
Marine Durantet
Zélie Durel
Léa Djurado
Élodie Gaurand
Heidi Hellgren
Sarah Falco
Baptiste Mouret
Stéphanie Perrin
Marine Ricard
Marie Tuloup
Laura Zenone

www.mac-lyon.com

Remerciements
Acknowledgements

Nous souhaitons tout d'abord exprimer
nos plus vifs remerciements à Philippe Droguet.
We would like to extend heartfelt thanks
to Philippe Droguet.

**Nos plus vifs remerciements
vont aux prêteurs |**
Our warmest thanks go to the lenders:
    A. Bertrand, Paris
    Galerie Pietro Spartà, Chagny
    Pietro Spartà, Chagny
    Ainsi que les prêteurs qui ont souhaité
    conserver l'anonymat | *And the lenders*
    who preferred to remain anonymous

**Nous tenons à remercier les auteurs
de cet ouvrage |**
We would like to thank the authors
of this catalogue:
    Anne Bertrand, Anaïd Demir

Nous souhaitons également remercier |
We would also like to thank:
    Martine Catherin, Claire et François
    Durand-Ruel, Marie Lapalus,
    Louise Alexander Galerie, Paris, Nini,
    l'homme aux oiseaux, Hervé Neyroud,
    Jean-Michel Petit

**L'exposition a été réalisée
avec le soutien public et privé de |**
The exhibition has been staged
with the public and private support of:
    La Ville de Lyon, et plus particulièrement
    la Direction des Affaires culturelles,
    le Ministère de la Culture
    et de la Communication, la Direction
    régionale des Affaires culturelles
    Rhône-Alpes, ainsi que Decitre,
    20 Minutes et Lyon Parc Auto.

Catalogue

Cet ouvrage, coédité avec le Musée d'art
contemporain de Lyon, a été réalisé sous la
direction éditoriale de LIENART ÉDITIONS.
This catalogue, published with the Lyon Museum
of Contemporary Art, was produced under the
editorial direction of LIENART ÉDITIONS.

Équipe éditoriale | *Editorial team:*
    Olivia Gaultier, Michaële Liénart,
    Hervé Percebois, David Sillanoli

Graphisme | *Graphic design:*

PH. DVX

Contribution éditoriale | *Copy editor:*
    Philippe Rollet

Relectures | *Proofreading:*
    Olivia Gaultier, Hervé Percebois

Traduction | *Translation:*
    John Doherty

Crédits photographiques |
Photographic credits:
    © Blaise Adilon pour toutes les
    photographies, à l'exception de /
    for all the photos, except for:
    © Philippe Droguet: p. 10.

Le texte a été composé en Fairfield, en **Gill** et en **JesusLovesyou**.
The text is set in Fairfield, **Gill** *and* **JesusLovesyou**.

La photogravure a été réalisée par Fotimprim, Paris.
Photoengraving by Fotimprim, Paris.

Cet ouvrage a été achevé d'imprimer
sur les presses de Média Graphic, Rennes, en septembre 2013.
Printed by Média Graphic, Rennes, in September 2013.